GERALSINA

Héctor C. Vázquez

GERALSINA

(Bruja de la Triple Frontera)

uevohacer

Grupo Editor Latinoamericano

Colección: ESCRITURA DE HOY

1a. edición

ISBN 950-694-747-3

Colaboraron en la preparación de este libro:
Diseño de tapa: Pablo Barragán.
Composición y armado: Fanny Seldes.
Impresión y encuadernación: Edigraf.
Películas de tapa: Tango Gráfica.
Se utilizó para el interior papel Obra Boreal de 80 g
y para la tapa cartulina Ilustración de 280 g
provistos por Papelera Alsina SA.

Empiezo a entrever lo que yo llamaría el "tema profundo de mi libro". Es, será, indudablemente, la rivalidad entre el mundo real y la representación que de él nos hacemos. La manera con que el mundo de las apariencias se impone a nosotros y con qué intentamos nosotros imponer al mundo exterior nuestra interpretación peculiar constituye el drama de nuestra vida.

ANDRÉ GIDE, *Los Monederos Falsos.*

PRÓLOGO

Un sentimiento de disgusto y disconformidad se traslucía en las pupilas de sus ojos sombríos, enroscándose en su ánimo comunicaba a todo el cuerpo esa intensa desazón.

El artículo no presentaba la consistencia deseada, la información le parecía insuficientemente sistematizada y muy general. El texto carecía de carácter, de substancia periodística. ¿Había olvidado cómo hacerlo?

No lograba imprimirle la fluidez deseada y las correcciones, pequeñas o grandes, no conseguían mejorar su calidad.

La nota encargada no debía semejar un informe académico. No obstante, se exigía rigurosidad y objetividad. Su psicología ni se ocultaría ni se disfrazaría, sencillamente desaparecería, se le explicó. Por supuesto, ello resultaba imposible. El buen periodismo no se construía a partir de una neutralidad valorativa inexistente (la del periodista) sino, por lo contrario, desde una subjetividad asumida y declarada.

La exposición de la perspectiva sociopolítica del redactor permitía al lector evaluar el anclaje y contenido del marco de referencia en el que se entroncaba el artículo, y al periodista la elaboración crítica de las averiguaciones efectuadas y de las noticias a comunicar.

Acerca de todo esto reflexionaba Ramiro en su escritorio de trabajo instalado en el tercer piso de *El Diario* nombre del rotativo más importante de la ciudad.

"Este dilema me turba impidiéndome escribir como corresponde, la tensa contradicción de someterme a esa consigna absurda del «periodismo objetivo» o de rebelarme y dejarla de lado.

El sabelotodo que me metió en este brete se tendrá que joder" –pensó.

Mordiéndose el labio inferior releyó una vez más en el monitor de su computadora:

GERALSINA
(Bruja de la Triple Frontera)

"*Allí, en la Triple Frontera, donde en lenta transición se entrecruzan culturas diferentes, convergen los límites políticos de la República Argentina, del Brasil y del Paraguay. Próxima a esa región la ciudad de Encarnación en territorio paraguayo se enfrenta a la de Posadas en la Argentina y más al norte, en jurisdicción argentina, Puerto Iguazú, acosado entre las cataratas y el río Iguazú, se conecta mediante el puente internacional Tancredo Neves con la ciudad de Foz de Iguazú que la contempla desde Brasil.*

El punto nodal de la Triple Frontera es la paraguaya Ciudad del Este, fundada durante la dictadura de Stroessner. En su geografía convergen las tres fronteras y las tres ciudades. Muy cerca del límite con la República Argentina, y por lo tanto de Puerto Iguazú, se comunica con Foz de Iguazú a través del Puente Internacional de La Amistad. Su desarrollo fue consecuencia directa de la usina hidroeléctrica de Itapú, la represa con mayor caudal de agua del mundo montada por Brasil y Paraguay conjuntamente, mientras que su popularidad emanó de su importancia como centro comercial internacional.

Inmigrantes árabes, chinos y coreanos se instalaron en ella, para convivir con los paraguayos en una caótica urdimbre de cemento, impulsando el tráfico fronterizo de productos electrodomésticos, relojes, informática, armas y todo tipo de objetos traídos clandestinamente de Taiwan, Estados Unidos de Norteamérica y otros países de Asia del Sudeste.

Ciudadanos argentinos y sobre todo brasileños adquieren a muy bajos precios mercaderías que llevan ilegalmente a su país.

Al consolidarse el Mercosur, Brasil y la Argentina comenzaron a controlar el comercio fronterizo que fue en paulatina decadencia; importantes sectores de la población quedaron sin empleo y pululan, desconcertados e inquietos, por las calles de la ciudad en pos del pan de cada día...

¿Constituye en verdad Ciudad del Este, y con ella la Triple Frontera, el enclave terrorista que Estados Unidos pretende? ¿O, como lo sostienen muchos periodistas, políticos de centro izquierda, izquierda y varias organizaciones no gubernamentales, esos dichos son sólo una pantalla para enmascarar ambiciones imperiales? Es obvio que la región conforma un punto estratégico clave para acceder primero y lograr después el control de los riquísimos recursos acuíferos del Amazonas, de sus selvas tropicales, de su biodiversidad. Para dominar ambiente y territorio e instalar bases militares y de inteligencia utilizables con el propósito de vigilar la rebeldía social que puede generar tanta población empobrecida hasta los límites de la indigencia y la desnutrición, y supervisar situaciones de extrema conflictividad política como la de Colombia, la de la Venezuela bolivariana de Chávez, el solivantamiento y la posible insurgencia de la población indígena del Ecuador y Bolivia que, quizás, tienten la intervención militar norteamericana.

Según el Departamento de Estado, militantes del Hamas y Hezbollah palestinos, del Al Qaeda de Bin Laden, del ETA vasco y guerrilleros colombianos de las FARC se asentaron en la zona. Muchos son comerciantes o se han vinculado estrechamente con ellos; trafican drogas, todo tipo de armas, lavan dinero, se ocupan del contrabando de autos robados y de cigarrillos, son piratas informáticos y giran a paraísos fiscales del Caribe dinero obtenido del juego ilegal y la prostitución. La región, según la inteligencia norteamericana, se ha transformado en una de las fuentes principales del financiamiento del terrorismo Internacional. Los atentados contra la AMIA y la Embajada de Israel en la Argentina fueron cometidos por fundamentalistas islámicos que partieron de la Triple Frontera.

Lo cierto es que funcionarios de los tres países coordinan políticas de control fronterizo y de puertos, y que asesores antiterroristas norteamericanos y la antinarcótica DEA se entremezclan con los habitantes de Ciudad del Este. También lo hacen agentes

11

del MOSSAD israelí, el MI 6 inglés, el SIN brasileño, el DST francés, INTERPOL y, por supuesto, la CIA. La inteligencia argentina, casi enteramente entregada a los problemas domésticos, exhibe una presencia pudorosamente residual. Tal es la triste fama de la Triple Frontera.

Es probable que las dos versiones se complementen, que en defensa de sus intereses estratégicos los norteamericanos difamen la región exagerando la peligrosidad de aquello que de hecho acontece.

Éste es el territorio de Geralsina, en él construyó el círculo mágico de su presencia.

Se cuenta que Geralsina deambula por las ciudades de las tres fronteras evocando nombres de antiguas divinidades yorubas con el propósito de convocar la presencia de dioses sin cuerpos, que transita encantando demonios con danzas procaces y trasvistiendo su sexo. Se dice que es capaz de penetrar los misterios de la duración del tiempo hacia el pasado y hacia el futuro, que en un intenso despertar de los sentidos puede alterar sus propiedades reconstituyendo sucesos acaecidos y preformando el porvenir. Que posee el don de la ubicuidad y de desdoblarse en un número indefinido de apariciones simultáneas desplegando su presencia en múltiples lugares a la vez. Se comenta que los muertos acuden a su llamado, que interpreta el significado de los sueños y que controla el deseo sexual de hombres y mujeres mediante conjuros de amor, que daña a distancia, que sus hechizos, muy poderosos, acarrean la enfermedad y la desgracia, que es maléfica su fragorosa risa y de un color negro, muy negro su corazón.

Muchos clientes solicitan los servicios de Geralsina, los hay humildes y muy poderosos. Mujeres infértiles y desdeñadas, enfermos terminales y amantes malqueridos. Trabajadores del campo y de la ciudad, empresarios honestos y deshonestos, contrabandistas y políticos de los tres países consultan sobre sus incertidumbres, sus desventuras y sus amores rotos. La interrogan buscando señales sobre el propio destino, consejos para hacer realidad sus sueños, para torcer el curso de la historia en favor de sus ambiciones mutables. Requieren de ella protección contra todo tipo de maleficios, peligros inciertos y las enmascaradas acechanzas de la muerte.

Narran que su madre la parió en un campo de arroz, cuando entre populares melodías y rítmicos tams tams oscuros descendientes candombleses trabajaban en la cosecha. *Las mujeres de su villorrio natal comentan en voz baja que, durante la ceremonia de imposición del nombre: Geralsina, las palmeras se estremecieron y enseguida se oscureció el cielo, a pleno sol de mediodía. Entonces estalló la tormenta, truenos, relámpagos e intensa lluvia expresaron las voces y deseos de Shango y Ogoun concediéndole poderes que marcaron el ciclo de su crecimiento.*

Dicen que su belleza fascina. No se sabe su edad sin tiempo, ni tampoco cuánto hace que ronda de una ciudad a otra por la Triple Frontera. O siquiera si ronda. Se la ha visto a la misma hora de un mismo día en Ciudad del Este, en Foz de Iguazú y en Puerto Iguazú. ¿No posee acaso el don de la ubicuidad?"

1

-Está bien jodido este país -comentó Ramiro, reportero de *El Diario*. Perceptivo analista político, lucía su talento en la columna de opinión que cada domingo publicaba en el periódico local. Frontal y rebelde, tenía dificultades para ocultar sus pensamientos. Su tendencia a emitir impresiones y puntos de vistas sin muchos miramientos producía roces sociales y conflictos fácilmente evitables, sólo con no emitir tales juicios. Muchas veces controlaba sus impulsos. Otras no conseguía hacerlo, sobre todo cuando detectaba vanidad y pomposidad en su interlocutor, manipulación afectada de la palabra o falsedad tangible.

En su dedo anular llevaba un anillo de plata, bastante pesado y de bordes anchos despojado de todo adorno a excepción de una inscripción en letra inglesa que decía: *a contra corriente*. Le agradaba jugar con su anillo, haciéndolo girar en su dedo cuando leía y al beber su café negro, como lo hacía ahora en compañía de Carlos en el Bar ubicado en calle Sarmiento frente a la redacción de El Diario.

Su poderoso cráneo semicalvo se enfrentaba sin temor a las inclemencias del tiempo, usaba lentes de metal dorado para controlar su miopía. Su nariz recta y su mandíbula fuerte le conferían un aire de determinación.

Sin embargo, Ramiro se encontraba perturbado, desordenado su corazón y turbada su afectividad, abatido, casi humillado. No su entendimiento, claro que no, que se mostraba tan incisivo y mordaz como siempre, aunque recientemente parecía más proclive al desconcierto, sino que la aflicción abochornaba sus sentimientos.

Su esposa de treinta y cinco años, una pelirroja de cabello in-

15

candescente, ojos de un profundo azul y talle de muñeca de bambú, profesora de literatura inglesa en la universidad, lo abandonó, cambiándolo por uno de sus alumnos, seis años más joven que ella. Más que afectarlo en su autoestima el hecho lo descorazonó. Tal vez amara a su mujer más de lo que suponía. Quizá por ello no conseguía culparla. Era él quien sentía vergüenza por la falta cometida. ¿La falta?, ¿su esposa había infringido una regla acaso? El deseo carnal y los sentimientos no se pueden controlar a voluntad. Seguramente él abusó de su situación de marido, tal vez había sido un amante apocado, algo faltó de estímulo e imaginación. Quizás defraudó expectativas sexuales, intelectuales y sociales y en esto, precisamente, consistía su engaño.

A sus cíncuenta años no sentía bríos de Don Juan, ¿para qué aparentar lo que no era?

-Más que jodido me parece que tenemos un país reventado - replicó Carlos.

-No todavía. Aunque posiblemente no falte mucho para eso. ¡Casi la mitad de los argentinos son pobres! -exclamó Ramiro acariciando su anillo.

-¡Lo que sucede en Argentina no se puede creer! Los bancos retienen el dinero de sus depositantes, nunca se los devolverán. ¡Todo el sistema financiero es perverso! La banca extranjera, después de obtener lucros siderales prestando al Estado, envió sus ganancias y el dinero de los ahorristas a sus casas centrales. También los banqueros argentinos pusieron a buen recaudo beneficios y utilidades fuera del país y en cuentas depositadas en paraísos fiscales. Todo fue hecho con la complicidad del gobierno. ¡Es la institucionalización de la estafa! También las empresas privatizadas hicieron lo mismo. El nuevo presidente afirmó: "el que depositó pesos recibirá pesos y el que depositó dólares recibirá dólares", y después lanzó la pesificación.

Carlos habló con relativa vehemencia. Podía detectarse un dejo de indignación en su voz. Durante un instante endureció la mirada, todo su cuerpo se tensó. Luego, dejando escapar un suspiro, se acomodó en su silla y se relajó.

Estimaba a Ramiro, quizás demasiado. Probablemente sentía cariño por él. Compartieron el exilio mexicano. Trabajaron juntos en la Universidad Autónoma de Puebla. Él, como profesor de Teoría Política, y Ramiro como catedrático de Historia Contemporánea.

Fue el mismo Ramiro quien le presentó a Pelotita de Barro, el ex capitán del ejército que fue represor durante la última dictadura militar y que, no logrando soportar el rechazo de su reclamo amoroso, despechado y furioso de ira, prendió fuego al Hollywood, el Nigth Club en el que trabajaba Virginia. Transcurrieron tres años y Carlos no lograba olvidar el recuerdo de esa muerte, la de Virginia, que destrozó su existencia.

-Tal vez no había otro camino a seguir -dijo Ramiro-, pero el modo en que se cayó la convertibilidad..., porque la convertibilidad, como era previsible, se cayó sola cuando se cortó la cadena de préstamos. La bicicleta financiera y la forma en que se implementó la pesificación fueron también otro gran negociado -agregó.

-¿Qué pasará ahora? La gente ya no soporta la política del ajuste constante. Se está movilizando. Son muchos los desocupados que se organizan a partir de los cortes de rutas y de calles. Se han transformado en Piqueteros. Y los ahorristas, casi todos de clase media, protestan frente a los bancos haciendo chocar sus cacerolas y gritándoles todo tipo de insultos. Además, la ciudadanía tiene interés en participar, en lanzar propuestas, hacerse escuchar e incidir en las decisiones del gobierno... Parece que las asambleas barriales a las que asisten un gran número de vecinos y en las que se debate y discute de todo se han convertido en un nuevo fenómeno social. Vienen analistas de todo el mundo para estudiar estos acontecimientos.

-Es cierto, pero... Carlos..., no te entusiasmes demasiado..., será muy poco probable que la protesta se organice de un modo tal que se pueda mantener a lo largo del tiempo... Y ese grito: "¡Que se vayan todos"! me parece que es una consigna destinada a morir rápidamente. Fijate quiénes son los diputados y senadores que votó la gente... ¡No se ven muchas caras nuevas!... - exclamó Ramiró haciendo un gesto de advertencia con su índice.

-¿Y la segunda vuelta? ¿Quién ganará el ballottage? El Caudillo salió primero. Sin embargo, controla al partido y no a los electores, que quieren comérselo vivo.

-No lo subestimes..., el hombre tiene una desmedida voracidad de poder y sus adláteres son capaces de todo... ¡Hay intereses muy grandes en juego! No se entregará fácilmente..., tengo ciertos datos..., me parece que algo están tramando sus secuaces... algún tipo de intriga.

-No te entiendo -aclaró Carlos algo desconcertado-. ¿Qué querés decir? -preguntó.

-En la tarea de buscar información para el artículo que publicaré, el de la bruja de la Triple Frontera famosa por la procesión de políticos influyentes que la consultan, me relacioné con un agente de los servicios que veré esta tarde... Se hace llamar La Nodriza...

-¿La Nodriza? ¡Qué nombre extraño! ¿Por qué le dirán así?

-En otro momento te cuento. Debo irme ahora. Yo te llamo. Tal vez sea conveniente que estés más o menos al tanto de su relato. Por razones de seguridad digo..., siempre que seas prudente y abras la boca sólo si yo te lo pido. Chau.

-Adiós... -replicó Carlos.

2

Carlos tomó un lápiz de su mesa de trabajo, hamacándolo entre sus dedos. Deslizó su mirada por los renglones de la página abierta y los releyó una vez más. "Es cierto que la denominación *estados alterados de conciencia* es ambigua e imprecisa", pensó, "supone un concepto de conciencia muy estrecha, limitada a la civilización occidental. En nuestra cultura el pensamiento es lineal, el pasado se proyecta en el presente y el presente en el futuro. En otras sociedades, en el África negra por ejemplo, o entre los indígenas de toda América, la situación es muy distinta. No existe la disociación, que sí tenemos nosotros, entre lo biológico, lo psicológico y lo social; los símbolos tienen un gran poder de sugestión y se encuentran muy cargados de afectividad. Se piensa de otro modo, yuxtaponiendo estructuras de pensamientos. No se extrae un concepto de su contexto inmediato. La idea de viejo, aislada, no tiene sentido. Viejo es el que no puede comer carne, no puede tener hijos y no puede cazar. Y la concepción del tiempo es otra, muy diferente, es circular, vuelve sobre sí mismo. Del mismo modo que retorna, siempre, el verano, el otoño, el invierno y la primavera."

Afirmando el lápiz sobre la hoja del libro marcó un párrafo con una gruesa línea vertical. Un indicador de advertencia, un llamado de atención. Con una representación de conciencia tan estrecha como la dominante en la Psicología Experimental, todo un conjunto de estados perceptivos de la mente podían considerarse como *percepciones alteradas*. Algunos científicos aplicaban un campo electromagnético al lóbulo temporal del cerebro para inducir experiencias religiosas. Elaboraron un mapa tomográfico indicando los lugares precisos del cerebro en los que se registraban las apariciones de personajes sobrenaturales, como los ángeles, los santos y la misma Virgen María, los sitios en los que se flotaba en el aire y se ascendía a los cielos. A tal quehacer se le llamaba *Neuroteología*. Carlos se sentía muy molesto. Esto le parecía una exageración, como la afirmación de aquel científico quien aseguraba que había encontrado el punto exacto del cerebro humano en el que se asentaba el alma inmortal.

Dejó el lápiz sobre la mesa y tomando un palillo escarbadientes pinchó un redondel de salame picado grueso y un trocito de queso *gruyère*. Los llevó a la boca masticándolos lentamente. Deglutió la comida y bebió un sorbo del gin tonic que decidió prepararse. Saboreó la bebida dejando divagar sus pensamientos.

"Los chamanes tobas", reflexionó, "ocultan en la boca del enfermo una piedrita que extraen durante el ritual de la cura. Aseguran que se trata del mal que ha producido el malestar del paciente. Y no hay engaño en esto, no. Ellos son sometidos al mismo tratamiento cuando enferman. Aceptan de buena fe que el guijarro representa la dolencia, es su causa, la ha producido. No se engañan sino que participan de un sistema de creencias socialmente aceptado que así lo establece. En esto reside el pensamiento mágico. En la admisión social de esas creencias que lo fundamentan y le dan valor. De este modo los ritos de curación plasmados en cánticos, la utilización de todo tipo de objetos, manipulaciones extrañas, aplicación de hierbas medicinales, invocaciones y danzas van juntos. Constituyen una unidad inseparable."

Carlos sintió frío. Se incorporó y trasladándose unos metros apagó el aparato refrigerador. El recuerdo de los últimos sucesos acaecidos en el asentamiento toba de Travesía y Almafuerte lo inquietó. En tanto politólogo, se interesaba por las reivindicaciones de los tobas, sus modos de expresar los reclamos sociales y étnicos, sus modalidades organizativas y, por supuesto, su cultura: su visión del mundo, que se modificaba paulatinamente al incorporar el cristianismo pentecostalista y en el proceso de aceptación/recha-zo y resistencia de los valores y conductas expresados por los miembros de la sociedad "blanca" con quienes interactuaban.

En los últimos años de la década del sesenta, los primeros to-bas emigraron de la provincia del Chaco hacia Rosario en busca de mejores condiciones de vida, estableciéndose en Villa Banana, allí cerca del cementerio El Salvador, donde las vías del Ferrocarril General Belgrano hacían una curva pronunciada. Posteriormente llegaron otros que se acomodaron entre la calle Juan José Paso y las vías del ferrocarril, en pleno barrio de Empalme Graneros; ahora, una nueva oleada de emigrantes chaqueños, muchos de ellos tobas, se asentaba en la zona de la calle Cabal y avenida Ludueña, llamada "Los Pumitas", nombre tomado del equipo de fútbol del barrio. Los tobas no fueron aceptados por los vecinos, que vieron en ellos la indiada sucia, borracha, enferma y delincuente que pensaban extinguida con la constitución de la argentinidad. Se los rechazó y se los estigmatizó. Y ahora se los perseguía acusándolos de una serie de robos que se habían producido en el barrio "blanco". Fueron denunciados y la policía, haciéndose cargo de esos reclamos, acordonó el asentamiento y arrestó a varios indígenas. Algunos de ellos protestaron por el maltrato policial. Hacia el atardecer la guardia se refuerza. Después de las 22 horas hasta el amanecer se interroga y, en ocasiones se detiene, a cualquier toba que circule fuera del asentamiento sea hombre o mujer, niño o anciano.

Necesitaba colaborar de algún modo para apoyar la contradenuncia de los tobas. Ya vería de qué manera. "Así es nuestro país", se dijo, "¡racista!"

La campanilla del teléfono interrumpió el curso de sus pensamientos. Bebió otro sorbo de gin tonic y extendió el brazo para descolgar el tubo.

-Carlos, hay novedades... -farfulló la voz grave de Ramiro al otro lado de la línea.

-¿Qué sucede?

-Hablé con La Nodriza. Tengo información muy interesante, reservada. Quiero encontrarte esta noche. Necesito que me acompañes a una ceremonia religiosa.

-¿Una ceremonia religiosa? ¿Un domingo a la noche? No se puede tratar de un casamiento...

-No, de un casamiento no... debemos visitar a la Mae Pequenha..., una sacerdotisa candomblé.

-¿Aquí, en Rosario?

-Sí, aquí..., es amiga de La Nodriza..., nos dejará participar si vamos en su compañía..., y si aportamos doscientos pesos cada uno para su iglesia.

-¡Doscientos pesos! ¡Es una barbaridad! ¡Es mucho dinero!...

-Es verdad, pero estoy seguro de que lo que nos dirá vale eso y mucho más.

-Che, ¿no me estarás estafando?... -preguntó Carlos un poco en broma y mucho en serio.

-¡Pará la mano! ¿Cómo podés pensar eso de mí?

-Y..., ¿qué querés?... Me invitás de improviso, para esta misma noche..., tengo que poner doscientos pesos y para colmo conocer a La Nodriza... ¡Ese tipo mete miedo!...

-Sí, entiendo..., pero te necesito..., al menos para consultar con vos la información que recibiré. Para tener tu impresión.

-¿Cómo que recibiré? Que recibiremos, querrás decir. Yo también participo en la entrevista, tengo que soportar un ritual extraño, aguantarme a La Nodriza y pagar doscientos pesos..., y yo, ¿nada?, ¿la información la recibís sólo vos?

-¡Pero no!..., si la guardo para mí no la puedo chequear con vos. Lo digo en sentido figurado. Además, yo sé que te gustan las aventuras y te interesás por la magia y las religiones animistas. ¡Estoy seguro que vendrás!

-¿Te parece?

-Por supuesto...

-¡Acertaste! ¿Dónde nos encontramos?

-Te paso a buscar a las doce.

-¡¿A las doce de la noche?! ¿No es muy tarde?

-No. Esa es la hora en la que la noche se hace misterio.... chau.

-Chau. Hasta luego...

Ramiro tenía esa personalidad recalcitrante que resultaba difícil de soportar, aun para él mismo. Un carácter que se balanceaba entre la indolencia y la ansiedad; poseedor de una rebeldía atávica, irónica e irreverente, le complacía lanzar frases cortantes, afiladas como navajas. Siempre fue así, desde pequeño. Eso es lo que contaba su mujer, tal vez por eso lo abandonó. Agotado el primer deslumbramiento se acabó su paciencia. Eso y la carencia sistemática de dinero. Pues a pesar de que Ramiro ganaba bien le gustaba gastar. Era muy generoso, de bolsillo fácil. Siempre andaba prestando a quien lo necesitara y, se sabe, en los tiempos que corren hay demasiadas urgencias.

Una anécdota que contaba a sus amigos cercanos lo pintaba de cuerpo entero. Ramiro cursó la escuela primaria y la secundaria en un colegio religioso. Uno de los hermanos, un enorme irlandés de rostro coloreado por el alcohol, que destilaba su propio whisky en el gabinete de Química, asignatura que enseñaba, sentía un fervor especial por la Virgen María y comunicaba a quienes lo querían o no escuchar: "¡Al que habla mal de la Virgen se le pudre la lengua!"

Ramiro, de diez años, quiso comprobar si tal afirmación era correcta. ¿Cómo hacerlo? Pensó y pensó hasta que encontró un procedimiento que le pareció adecuado. Tomó un espejo de bolsillo de la cartera de su madre, lo limpió con cuidado y se lo llevó al colegio. Los recreos duraban diez minutos. Sus condiscípulos los aprovechaban para comer golosinas, jugar al fútbol, conversar y urdir todo tipo de patrañas.

Durante un lapso de quince días, Ramiro utilizó los recreos para refugiarse en la capilla del colegio. De rodillas, lo más cerca que podía del altar y en actitud de profundo recogimiento, insultaba a la pobre Virgen. Enseguida sacaba la lengua fuera de la boca y miraba su reflejo en el espejo. La lengua no mostraba cambio alguno, persistía en su ser. Su color rosado no se modificaba ni se agrietaban sus papilas gustativas. Entonces Ramiro duplicaba su apuesta. Acusaba a la Virgen de mantener relaciones sexuales con el Arcángel Gabriel, el asno, el macho cabrío y la oveja que, según la representación popular, se encontraban en el pesebre navideño. Como tampoco la lengua se enfermaba, irreverente y furioso, acusó a la Virgen de mantener relaciones con los apóstoles y con todo soldado romano que conocía.

El hermano, devoto de María y rudo bebedor, descubrió la tenaz persistencia del alumno quien, recreo tras recreo, se entregaba en cuerpo y espíritu a la Virgen. En una ocasión, y sin que Ramiro lo notara, se deslizó a su lado. El muchacho parecía muy concentrado en sus rezos, ni un solo músculo de su cuerpo se movía. Únicamente llegó a escuchar "Virgen, Virgen, Virgen mía..."

Conmovido, el hermano se retiró dejando tranquilo al adolescente entregado a su religiosidad. Cuando llegó la hora del dictado de Química, antes de comenzar la clase, comentó: "Todos ustedes deben sentirse orgullosos. Éste es el único curso del colegio que tiene un amante de la Virgen María. ¡Ramiro! ¡En cada recreo Ramiro concurre a la capilla para rezarle a la Virgen! En cambio, ustedes pierden el tiempo corriendo detrás de una pelota de cuero!..."

Así era Ramiro, *a contra corriente*, como lo indicaba su anillo.

Se preparó una tortilla de papa, huevo y cebolla que comió con fruición. Le gustaba cocinar platos sencillos sin muchas dificultades. Su madre le enseñó los recursos elementales del arte que él logró desarrollar un poco más. Después de lavar la vajilla, el sartén y los cubiertos se llevó una copa de vino tinto a su sillón predilecto. En una casa especializada en vinos finos había adquirido un *rosso di Toscana Sangiovese*, bodega *Le Due Valli*, vibrante y cálido, en su sabor astringente. Tomó de una mesita un libro de Leo Perutz, el brillante escritor checoeslovaco de triste final. Su título: *El Maestro del Juicio Final*. Se trataba de una edición de la colección "El Séptimo Círculo", dirigida por Borges y Bioy Casares. Leyó con sumo placer este extraño y atrayente texto de final abierto a la interpretación del lector. ¿La narración del Barón de Yosch era verdadera? ¿O sólo una cortina de humo urdida para esconder crímenes que él mismo había cometido? En todo caso interesaba retener que el "asesino inmóvil", como en *El Nombre de la Rosa* de Umberto Eco, era un libro. Tenía la fuerte intuición de que el escritor italiano se había apoyado en este texto y en *El Monasterio Encantado*, de Robert Van Gulik, para elaborar la historia narrada en su estupendo libro.

Van Gulick fue un erudito sinólogo embajador de Holanda en Japón, escribió una serie de novelas policiales chinas, pletóricas de misteriosos crímenes, cuyo principal personaje, el juez Di, se encargaba de resolver. El juez Di vivió durante fines del siglo VII y principios del VIII, años en los que los "Siete Vagabundos del Bosque de Bambú" (entre los que se destacaban poetas de la talla de Li Tai Po, Pu Chu Hi, Thu Wu y Wan Wei) llevaron a la dinastía T'ang a su máximo esplendor literario.

Hojeó el libro y lo olió; le agradaba la fragancia de tinta y papel aun en ediciones viejas. Se oyó suspirar..., lo turbó un vago sentimiento de culpa. La imagen del rostro de Virginia, la *dolce bambina*, como comenzó a llamarla después de su muerte, se inclinó ante él. Entonces, de las páginas del libro que tenía entre sus manos cayó una postal. La fotografía mostraba una de las playas de Porto Ferraio en la Isla de Elba; en su esquina inferior izquierda y en primer plano, se veía el ángulo de la baranda de un mirador. Hacia la derecha, un pescador en traje de baño, la extensa playa solitaria, las aguas transparentes del mar y una colina verde, muy verde, que se ubicaba en el vértice superior derecho. Un cielo azul iluminaba el paisaje. Viajó a Italia dos meses después de la desaparición de Virginia, visitó sus principales ciudades y pasó una semana en la isla en la que Napoleón, prisionero, quiso reconquistar la Historia, ignorando que la estrella que iluminaba su destino brillaría solamente cien días más.

El dorso de la postal contenía un poema que él mismo había redactado en esos días de desolación. Decía así:

ISOLA D' ELBA

Rocas, pinares y sol
constreñidos
en un mar murmurante de fondo transparente.
Grande o pequeño,
ciertamente hermoso,
este universo me es indiferente.
Presagios del futuro
me acosan.
Morbosos, siniestros
anuncian mi muerte.

Sin embargo, no murió, continuó viviendo como pudo, enfrentando su sino. Pronto sería medianoche, la hora del Diablo. Ramiro llegaría en cualquier momento.

Aceptó la invitación con la secreta expectativa de romper la rutina cotidiana. Ese lento pasar de los días que parecían reproducirse incansablemente, repetidamente iguales.

La Nodriza... Conocía ese nombre, estaba seguro. ¿De dónde? El apodo, asociado a un hombre, sugería una amenaza. Manifestaba el sentido oculto de una paradoja mal entendida. Un vicio hereditario, una malformación vital que reflejaba un estado siniestro de la naturaleza: La Nodriza...

Su cerebro se excitó registrando imágenes superpuestas, como si un escurridizo recuerdo luchara por aflorar. De pronto irrumpió en su memoria la aviesa figura de Pelotita de Barro. Se vio caminando junto a él por el Bulevar Oroño, en el cruce con la calle Tucumán. Un rojizo atardecer los cubría. El ex represor andaba con dificultad, como conducido por su protuberante vientre que se inclinaba hacia derecha e izquierda con cada movimiento de sus piernas.

-La Nodriza formó parte de la organización Cóndor. Era implacable. Cuidaba con dedicación, y quizás hasta con ternura, a quienes más tarde serían detenidos desaparecidos. Les procuraba alimento, especialmente leche. Mucha leche. Decía que la leche era el alimento de la vida... Se preocupaba por el aseo de cada uno de los prisioneros y les conseguía ropa y cigarrillos. Se esforzaba por hacerles confortable la vida en la prisión. Y cuando llegaba la orden de arriba, ¡zaz! Los torturaba sin remordimiento alguno, con sadismo, regocijándose en la pena infligida -dijo Pelotita de barro elevando el tono de su voz.

-¡¿Cómo pueden existir hombres así?! -exclamó Carlos, muy perturbado.

-La naturaleza engendra cualquier cosa, no tiene moral. Me hizo a mí..., no soy tan perverso como La Nodriza pero tampoco un nene de pecho, je..., je..., je... -afirmó con su horrible risoteo Pelotita de Barro.

Ése era el sujeto que conocería esta noche. No era probable que se tratara de otra persona. No con tal apodo. El estremecimiento de un escalofrío recorrió su cuerpo. Se metería en serios problemas, no había duda.

Toda sociedad tiene individuos desviados, incapaces de adaptarse a normas básicas de convivencia. Personajes como La Nodriza y Pelotita de Barro deben existir en todos los países del mundo. Sin embargo, en la Argentina, en los últimos tiempos, los personajes brutales y sanguinarios aparecían por doquier. El sadismo y la mentalidad asesina se encontraban en todos sus rincones. ¿Qué sucedía? ¡Tanta violencia y hostilidad! ¡Tanto odio soterrado!... El conjunto de la sociedad se mostraba decadente, sus instituciones deshechas, como si un pueblo irresoluto, incapaz de reconocerse a sí mismo, se esforzara por realizar un destino de autodestrucción.

Sin embargo, había sectores sociales que marchaban en una dirección opuesta, en el sentido de la vida, construyendo un nuevo horizonte. Necesitaba apostar a ellos.

Carlos se peinó. Conservaba la cabellera a pesar de la edad pero comenzaba a envejecer. Esta palabra contenía verdades que se reflejaban en el espejo del botiquín instalado en el cuarto de baño.

Con un rictus intentó apartar de sí estos pensamientos. Sonó entonces el portero eléctrico. Consultó su reloj pulsera: las doce menos diez. "Ramiro se adelantó unos minutos", pensó. Se tomó su tiempo para lavarse las manos, las secó y enseguida atendió el llamado.

-¿Sí?..

-Ramiro...

-¿Bajo o subís?

-Bajá..., ya debemos partir.

-De acuerdo.

Carlos apagó las luces, cerró la puerta con doble juego de llaves y tomó el ascensor. Rápidamente llegó a la planta baja y salió al exterior. Ramiro abrió la puerta del automóvil.

-Entrá -dijo, invitándolo a sentarse con un movimiento de cabeza.

Carlos se acomodó a su lado, cerró la puerta. El motor susurró suavemente con el ronroneo de un gatazo complacido. El Peugeot 206, color rojo Lucifer, se internó en la noche.

Los dos hombres guardaban un silencio tácitamente pactado.

El coche se dirigía hacia el sur. Las calles de la ciudad estaban desiertas. Muy de vez en cuando se cruzaban con un peatón o dos, un colectivo u otro automóvil. Pasaron tres o cuatro bares cuyos clientes compartían mesas ubicadas sobre la vereda. El leve viento de un templado otoño, arrancaba las hojas amarillas de las ramas de los árboles.

El automóvil dobló a la izquierda tomando por calle Ayolas.

-¿Tenés el dinero? -preguntó Ramiro.

-Sí, lo tengo. Estuve a punto de traer una cámara fotográfica. Lo pensé mejor y me pareció poco prudente. No nos dejarán tomar fotos.

-Hiciste muy bien.

-Pero me traje un grabador, muy pequeño. De periodista.

-Yo tuve la misma idea. Está en la guantera. Alcanzámelo, por favor.

Carlos le entregó un rectángulo negro de plástico.

-Grabaremos lo que nos parezca importante. Empiezo yo. Cuando se termine la cinta seguís vos. Yo te indico. Si estamos lejos te hago una seña, me llevo el índice de la mano derecha a la sien.

-De acuerdo.

Ramiro quitó el pie del acelerador. El coche fue perdiendo velocidad y al llegar a una esquina se detuvo.

-¿Llegamos?

-No todavía -susurró Ramiro-. Aquí es dónde recogemos a La Nodriza.

La luz del alumbrado público, muy mortecina, los dejaba entre penumbras. Esperaron, inquietos, durante varios minutos.

De pronto Carlos se sobresaltó. Alguien golpeaba la ventanilla del coche. Lo hacía con el nudillo de un dedo descarnado. La sonrisa torva de un viejo, una mueca que mostraba un diente de oro, lo perturbó.

-Lo siento. Tenés que bajar del auto, Carlos. Es un dos puertas.

Carlos descendió para que La Nodriza pudiera subir.

-¿Cómo le va? -lo interrogó la voz aguardentosa de un rostro surcado por arrugas, sostenido por un cuerpo delgado y viejo.

-¿Y a usted? -contrapreguntó Carlos.

El viejo hizo un gesto de ¿qué importa?, con los hombros y con dificultad metió el cuerpo dentro del automóvil.

-Usted dirá... -dijo Ramiro.

-Siga derecho por Ayolas. Ya le indicaré dónde doblar.

Anduvieron quinientos metros y entonces La Nodriza anunció:

-Por aquí, a la derecha. Yo siempre voy por la derecha. Nunca por la izquierda ja, ja... -festejó el viejo su chiste.

Se desplazaron por una calle de tierra, apenas alumbrada. Sobrepasaron tres casas, después había terrenos baldíos.

-Aquí es.

Se detuvieron ante un chalet de los años veinte. No encontraron otros vehículos estacionados. Un patio andaluz, partido al medio por una fuente, antecedía a la puerta de entrada. Los tres hombres se internaron en él.

La Nodriza golpeó tres veces con el llamador, una mano de bronce. Dejó un momento de silencio y volvió a golpear tres veces. La enorme puerta de madera de roble se entreabrió primero para abrirse del todo después. Pasaron.

La sala era amplia. Una araña circular de hierro forjado colgaba del techo, sosteniendo una docena de velas ardientes que entregaban una luz vacilante. Una mesa colonial española cercada de seis sillas del mismo estilo amueblaba la estancia.

-Por aquí -ordenó un negro africano morrudo y alto, vestido con camisa y pantalones blancos. No llevaba calzado.

Los tres hombres lo siguieron.

-Denme ahora la plata -masculló La Nodriza.

El dinero le fue entregado mientras descendían la escalera que conducía a un subsuelo.

Carlos y Ramiro se sentían amedrentados, embargados por una naciente sensación de peligroso extrañamiento.

-Este sótano está preparado para encerrar en sí todos los sonidos. Su acústica es maravillosa -bisbiseó La Nodriza.

El lugar estaba en semipenumbras. Improvisados candelabros de botellas de vidrio, diseminados por doquier, iluminaban el recinto con la titilante luz de sus velas.

-Tomen esos almohadones y siéntense -anunció el guía.

Así lo hicieron.

El negro se inclinó hacia La Nodriza y recibió el dinero. "¿Se habrá guardado La Nodriza algo para sí?", se preguntó Ramiro. "Seguramente le dio sólo la mitad", pensó Carlos.

-La Mae Pequenha los atenderá inmediatamente.

El negro se asentó sobre un jergón y colocándose un bongó entre las piernas comenzó a tocar. Batió el paño con sus dedos y obtuvo una sonoridad intensa y contrastada.

De la nada surgió una bailarina que desplazaba su cuerpo con movimientos epilépticos, entrecortados y eléctricos, girando y girando sobre sí misma. Vestía una túnica blanca, descotada. El fulgor de las velas ardientes rebotaba en ella, también lo hacían las sombras...

-¡Savará!... ¡Savará! -exclamó el tocador del bongó.

La joven negra saltaba, caía de rodillas, se incorporaba y giraba. Sus cabriolas se expresaban con gestos desgarrados.

-¡Savará!... ¡Savará!...

-Está buscando el trance -susurró Ramiro al oído de Carlos.

Inesperadamente, en lo más frenético del repiqueteo rítmico, la danzarina se detuvo. Con lentos ademanes dejó que sus manos corrieran a lo largo de la cara, del torso y de las piernas, una, dos, tres veces.

-¡Ah!... -gritó de un modo escalofriante y prolongado. Enseguida se tiró a vientre expuesto, separando los brazos, sobre el piso.

-Se dio un golpe terrible -comentó Carlos.

-Es la violencia ritual propia de los trances -replicó Ramiro.

El tambor calló, el imprevisto silencio resultó molesto, casi irritante.

La mujer se arrodilló meciendo el torso y la cabeza de un lado a otro. Después recitó:

Mae Senhora, Mae Senhora
Mae Pequenha
Você interroga.

-¿Qué dice? -preguntó Carlos.

-Está llamando a Geralsina, la sacerdotisa reina -contestó La Nodriza.

Mae Senhora, Mae Senhora
Mae Pequenha
Você interroga.

Carlos y Ramiro estaban turbados, participaban de un acontecimiento desconcertante. ¿Participaban? Al menos eran los testigos de una ceremonia potente. ¿Y La Nodriza?, ¿cómo saber lo que ése hombre sentía?

El Emisario me ha visitado
al Oponente quiere matar.
Yo lo sé todo
todo lo sé
cómo su fin puede lograr.

Así recitó la Mae Pequenha. Lo hizo con un cambio de tono en su voz, más grave y compacto.

Luego, retomando la entonación natural de su pronunciación, preguntó:

Mae Senhora
¿Dónde estarás?

En la casa verde del Paraguay
en el Brasil en la casa amarilla
en Argentina en la casa rosa.
Si allí si me buscas
Me encontrarás.

Declamó Geralsina con su voz de contralto.

Carlos y Ramiro se miraron mutuamente. La Nodriza permanecía impasible. ¿Escuchaban a la sacerdotisa reina?, ¿espacio y tiempo desbordaban su ser?

Mae Senhora,
¿a mi amigo recibirás?

Si tú lo envías
yo lo recibo
pero en la noche se perderá...

El bongó sonó nuevamente, consistente, obsesivo...

Mae Pequenha se puso de pie con un salto ágil y elástico, recomenzando sus giros. Los gestos convulsivos de su danza transportaban una inquietud de siglos, amorfa, sin nombre, salvaje. La angustia se exhibía allí. Eso es, precisamente, lo que los presentes sintieron.

La bailarina se fue alejando hacia uno de los rincones oscuros del cuarto hasta desaparecer entre las sombras.

El tambor dejó de tocar. El negro se incorporó y enseguida le acercó un vaso a cada uno.

-Es alcohol de caña mezclado con aceite de palma. Beban, les hará bien. Los relajará.

Aceptaron el ofrecimiento y bebieron el líquido. Paulatinamente todas sus confusas sensaciones se fueron aquietando y dividiéndose se diluyeron. Un misterioso sopor los embargaba y fueron perdiendo la conciencia de sí.

Cuando Ramiro despertó vio al negro que lo miraba sonriente, estaba sentado sobre el cojín y con la espalda apoyada en la pared. La Nodriza cabeceaba y Carlos se encontraba en la misma postura del bongocero.

Ramiro zamarreó a uno y otro.

-¡Despierten! -ordenó.

Carlos se fue despabilando. Sentía un gusto amargo en la boca y la lengua pastosa.

-¿Qué pasa?, ¿qué pasa? -interrogó La Nodriza.

-Ya es hora. Tenemos que irnos -dijo Ramiro.

Carlos se incorporó con esfuerzo, apoyándose en él, desconcertado.

-Por aquí...

El negro indicaba el camino hacia las escaleras, las subieron lentamente, paso a paso. Cruzaron nuevamente la sala colonial y llegaron hasta la pesada puerta de roble macizo. El hombre del bongó abrió la puerta y los despidió con un "hasta pronto..."

Ya amanecía. El aire fresco de la mañana los estimuló. De nuevo experimentaban el ser propio. Otra vez eran ellos mismos.

-Pero..., ¿cuánto tiempo hemos pasado allí? -quiso saber Ramiro.

La Nodriza consultó su reloj de pulsera.

-Más de cuatro horas...

-No pudo transcurrir tanto tiempo... El espectáculo no duró más de veinte minutos... –afirmó Carlos.

-Así fue, sin embargo -aseguró Ramiro que también consultó su reloj.

-Nos drogaron..., esa bebida contenía algún tipo de narcótico..., yo conozco de eso...

Los dos hombres miraron a La Nodriza, ¿cómo podían acompañar a un personaje semejante?

-Me parece que nos estafaron, que todo fue una mala representación para turistas -dijo Carlos.

-Hablemos en el auto -propuso Ramiro.

Los tres hombres se ubicaron. Ramiro al volante, Carlos a su lado y La Nodriza en el asiento de atrás.

-La información que yo manejo concuerda con lo que la Mae Pequenha dijo -afirmó La Nodriza.

-¿Cómo es eso?

-Ya le comenté, Ramiro... Se dice en El Servicio que El Caudillo, quien es muy supersticioso, fue a consultar su futuro político con Geralsina. Por orden de El Emisario ella recomendó su presentación al *ballottage*. Sin embargo, gobernadores e intendentes de El Partido con mucho peso político temen ser arrastrados, al momento de renovar sus respectivos mandatos, por la derrota masiva que las encuestas predicen. Hay que hablar con ella, puede conocer el plan para asesinar al Oponente...

-Eso es una paparruchada... Eso y la ceremonia a la que asistimos me parece inventada para nosotros, para sacarnos plata... ¿Qué tipo de ceremonia fue? Una mezcla de ritos Umbanda con Candomblé..., eso no encaja -protestó Carlos.

-Estás equivocado..., no es así..., es cierto que hay mezcla..., más bien hibridez..., sincretismo le dicen los antropólogos... Los grupos negros toman algo de lo que persiste de su tradición, ya muy cambiada, algo del catolicismo, etcétera... Elaboran una nueva creencia con un nuevo ritual... La Umbanda se alimenta también del Candomblé, los ritos dependen de cada una de la sectas, que son muy numerosas... -declaró Ramiro.

-¿Ustedes creen en serio que escuchamos la voz de Geralsina?

-Carlos, la voz era de la Mae Pequenha. No pudo ser de otra manera, pero los dichos, el contenido de las palabras... Pienso que hubo posesión. Que Mae Senhora, Geralsino, se manifestó, que su materialidad trascendió la determinación del espacio tiempo y descendió en su investidura inmaterial asentándose en el espíritu de la Mae Pequenha.

-Yo pienso como Ramiro -dijo La Nodriza.

-¿Así como así? Una cosa es aceptar que la premonición existe, que es posible la clarividencia, y otra muy distinta es hablar de posesión por los espíritus, como lo hacen ustedes -afirmó Carlos, molesto.

-Entiendo tu punto de vista..., pero, ¿qué somos?, ¿una mezcla de carbono y grasas? No, somos energía, que en todo caso obtenemos de ellos. Somos pura energía espiritual, vida consciente. Una exigencia de la naturaleza. ¿Qué es el Tiempo?, ¿duración pura?..., y ¿el Espacio?..., ¿pura extensión? La pura duración y la pura extensión no existen en sí mismas, sólo son una ilusión del entendimiento para expresar lo inexpresable. El tiempo interior de cada uno, el tiempo psicológico y el espacio interno es lo que cuenta..., el universo está hecho de tal manera..., su estructura acepta que la energía de una conciencia personal pueda ser captada por otra... Y esto es lo que ha hecho la Mae Pequenha, ha materializado la energía de la conciencia de Geralsina que se ha posesionado de ella...

-No hay que dar tantas vueltas, se cree o no se cree. Yo creo, Lopecito creía; por eso era miembro de la Orden de los Caballeros del Fuego.

Ramiro y Carlos se interrogaron mutuamente con los ojos.

3

Estacionaron el automóvil casi enfrente del Bar Esplendid, en la avenida Pellegrini, próximo a la Facultad de Ingeniería. Le disgustaba a Carlos el cariz que los acontecimientos tomaban. Ordenaron el pedido con ansiedad. Desayunaron: él, café negro en porción doble, los otros dos café con leche y, todos, medialunas dulces, de manteca.

Ramiro no quería aceptar razones. Decía que el mensaje de la Mae Pequenha, aunque críptico, era preciso. Se atentaría contra la vida del Oponente. Lo importante era conocer cuándo y cómo. Esto lo sabía Geralsina. Por lo tanto, se imponía la necesidad de descubrir el secreto.

La Nodriza, muy atento a sus palabras, aseguraba que Ramiro tenía razón. ¿Cuál era su juego? ¿Cuál su oculto interés?

-Puedo serle muy útil, con mis contactos no resultará demasiado difícil encontrar la casa verde del Paraguay, la amarilla del Brasil y la rosa de Argentina. En alguna de las tres daremos con la Mae Senhora. Conviene que lo acompañe -propuso.

Carlos insistía en que la vía de acción más adecuada era ponerse en contacto con el equipo de campaña del Oponente y hacerle conocer sus temores. No admitía esto Ramiro. Seguramente la posibilidad de un atentado se había considerado y contemplado en su momento y habría planes para salvaguardar la integridad física del candidato, decía. Él, como periodista, deseaba obtener la primicia. Se trataba de una noticia de envergadura. Investigaría y denunciaría con detalles el siniestro plan. Para eso estaba, para ejercer su profesión.

Esto lo comprendía Carlos, tenía sus dudas al respecto pero lo comprendía. No obstante, había algo más que no lograba discernir. Lo vislumbraba en la actitud de Ramiro, en su intento de enmascarar la fascinación que sentía. De ocultar mal su anhelo de aventura. Y ello lo preocupaba y lo mortificaba.

-El simbolismo es obvio. La Mae Pequenha habló de las tres fronteras. La casa verde en Ciudad del Este, la casa amarilla en Foz de Iguazú y la casa rosa en Puerto Iguazú. No tendremos inconveniente para descubrirlas -aseguró La Nodriza.

-El verdadero problema consistirá en sonsacarle el plan a Geralsina.

-Sí, Ramiro. Tenemos ahí un problemón. De todos modos, siempre es posible encontrar soluciones. Ya lo haremos.

Carlos pensó que la seguridad manifestada por La Nodriza resultaba excesiva. Presuntuosa, como si dispusiera de infinitos recursos para conseguir sus propósitos.

Detectaba en Ramiro una rara disponibilidad de ánimo que lo impulsaba hacia la aventura. ¿Intento de escape de sí mismo?, ¿de huida de su rijosa soledad?, ¿o sometimiento a la servidumbre del destino? Por eso se inquietaba, porque intuía una entrega, irresponsable, al azar...

-Estás molesto, Carlos. No lo estés..., solamente hago una apuesta..., es un medio tan apto como otro para evadirse de la sordidez de la existencia...

¿Era eso entonces?, ¿intentaba excluirse de lo cotidiano?, ¿de la insípida y agobiante rutina diaria?

-Anticipo sufrimientos innecesarios. Eso me perturba -dijo Carlos.

-La vida no es rica ni interesante si evitamos el riesgo.

-No me gusta el riesgo. Lo tomo, cuando es absolutamente necesario -replicó La Nodriza-. Pero no me gusta. Para disminuir el riesgo, para eso, debe llevarme con usted y para facilitarle las cosas. Estoy dispuesto a viajar si se hace cargo de los gastos.

-De acuerdo -contestó Ramiro a La Nodriza.

Tal aceptación desasosegó a Carlos, una puntada aguda bajo

sus costillas como la ocasionada por la herida de un estilete lo lastimó. Hizo una mueca de dolor y dejó escapar un suspiro.

-¿Y ahora? ¿Qué te pasa ahora? -le interrogó Ramiro.

-Nada..., nada...

-¿Cómo que nada? ¿Qué te sucede?

-Se trata de un mal presentimiento. La intuición de malos presagios...

-No hay que dramatizar tanto -dijo La Nodriza mientras masticaba un trozo de medialuna.

-Me asustaste, casi me hacés atragantar -anunció Ramiro.

Así precisamente se sentía Carlos, atragantado.

4

Recostado sobre su *chaise longue*, Ramiro fumaba su pipa dinamarquesa. Como en sueños, sus pensamientos flotaban encadenándose en una secuencia íntima y secreta. Representaciones de imágenes antiguas acosaban los centros nerviosos de su cerebro, los que irritados reconocían vivencias fugaces, sensaciones y olores enterrados en las profundidades oscuras de su conciencia. ¿De su conciencia?

El resplandor de la cabellera rojiza de Sonia, su ex esposa, enmarcaba el bello rostro ovalado en el que brillaban dos ojos de un intenso color azul. Le conmovía la esbelta languidez del torso. La piel transparente y la exaltada turgencia de los pechos, siempre a punto de palpitar, lo excitaban haciendo renacer un deseo que creía muerto. Un deseo intenso y apasionado, casi voraz. Un deseo correspondido, ¿hasta qué punto?

A veces encontraba en Sonia una resistencia escondida e indecible. Una resistencia que lo rechazaba como si zonas enteras de la mujer permanecieran impasibles ante sus caricias y su caprichoso desenfreno.

Consideraba como un desafío esa actitud paulatinamente acrecentada. Ella negaba el desarrollo de su espontaneidad amorosa. Se convertía en un reto que cerraba las posibilidades al juego lúbrico de la carne transformándolo en una afrenta humillante.

Por eso se recluyó en sí mismo llenándose de frío y de oscuridad. Supo que la había perdido durante aquella fiesta donde se bebió y bailó hasta el amanecer. Descubrió a Sonia en la pista de baile abrazada a su joven compañero, el conjunto había dejado de tocar. Lo supo por el arrobamiento de las miradas y las mejillas ardientes de Sonia mostrando un deseo intenso imposible de ocultar.

Algunas semanas después Sonia lo abandonó.

Otras imágenes penetraban en su imaginación, evocadas quizás por la corriente eléctrica que atravesaba su corteza cerebral o por una pulsión insondable de su inconsciente, o por ambas.

Percibió el carnoso rostro de su padre sonriendo con melancólica tristeza, el altar de la capilla del colegio, su madre tocando el piano de media cola (el instrumento ocupaba una buena porción de la sala de estar), su canoa con vela estilo junco chino navegando con él y su primo por las aguas marrones del Paraná...

Dio varias chupadas a la pipa. No pudo extraer humo. El tabaco ya no ardía. Vació el contenido de la cazoleta en un cenicero de madera que llenó de cenizas, luego la guardó en el bolsillo izquierdo de su camisa. Allí estaría a su disposición, para cuando la necesitara nuevamente.

El diario yacía sobre sus piernas, lo había olvidado. Releyó los títulos que comentaban la actividad política del momento. Hablaban de la segunda vuelta, lo indefinida que estaba la lucha por el sillón presidencial, la posible estrategia electoral conveniente a uno y otro candidato y sus grados de aceptación y rechazo por parte del público. Entonces pensó en su designio a todas luces caprichoso. En su disposición para la aventura, porque se trataba de una aventura en la que el azar tenía amplia cabida. ¿Se comportaba como un jugador acaso? ¿Apostaba al resultado de un destino incierto?

¿Pretendía imponérsele con arrogante insolencia? *A contra corriente*, ése era su lema. Así eligió vivir. Necesitaba probarse contra los obstáculos, creárselos si era necesario con el propósito de autoevaluarse, de definir el perfil de su personalidad. Y del mismo modo actuaría ahora: *a contra corriente*.

Toda la región estaba afectada por el *default* argentino, el contagio acechaba a Brasil, Uruguay, Paraguay, a Perú y aun a Chile, a pesar de su economía ya consolidada. ¿Habría ayuda económica del FMI para la Argentina? Con ella se evitaría la bancarrota regional. Las políticas neoliberales habían agobiado a la región. El caso argentino había sido el último y el más grave de una cadena de desastres económicos que, iniciada en el sudeste asiático, continuó con México, y su efecto "tequila" siguió con Brasil, Turquía y después Rusia. Los funcionarios del FMI adolecían de una estolidez primigenia. Insistían en sus recetas que hacían más ricos a los ricos y más irreductiblemente pobres a los pobres, enviando a éstos a la indigencia y a la mitad de la clase media a la pobreza. Y ahora apoyaban al Caudillo. ¿Hasta dónde querían llegar? ¡No son ignorantes, conocían las consecuencias de sus actos! Pero... ¡Defendían intereses concretos! ¡Los intereses más poderosos de la tierra!

Se hablaba de contagio porque nos veían como apestados. "¡Ellos nos infectaron! ¡Con sus políticas de endeudamiento permanente! También está la corrupción, claro. Como el vergonzoso asunto de las coimas en el Senado. ¡Senadores de la nación se vendieron por votar una ley! Y el gobierno públicamente se ufanaba: "Para los senadores tengo la Banelco..." -habría comentado el ministro.

"Si existe un plan para eliminar al Oponente, para cometer un magnicidio, y éste llega a tener éxito entonces, se habrá sobrepasado todo límite. El país no lo soportará, estallará la guerra civil y terminaremos en el infierno", discurrió Ramiro.

Tenía que revelar el secreto, sonsacárselo a Geralsina, por lo menos algunos nombres, los de los implicados directos, datos que le permitiesen reconstruir El Plan... Carlos llevaba razón. La Nodriza no era confiable para nada, pero..., ¿qué otra cosa se podía hacer? No podía prescindir de sus servicios, el hombre disponía de contactos; relaciones que le permitirían sortear los peligros que seguramente lo esperaban y acceder a Geralsina. Aquí también debía apostar a todo o nada. No había apuestas sin riesgos y los riesgos, aun calculados, seguían siendo riesgos.

"No tengo alternativa", pensó Ramiro, "estoy espantosamente solo".

¿Llevaría un arma? Sin considerarse un experto, Ramiro era un tirador competente. Regularmente asistía a prácticas de tiro en el polígono del Tiro Suizo, en ocasiones concurría a Tiro Federal, club que ofrecía mejores instalaciones. Allí el alquiler de la línea de fuego resultaba más costoso, esto representaba un inconveniente porque la diferencia se hacía notar.

Poseía varias armas de puño. De todas ellas prefería la pistola Bersa 380 ACP, un 9mm corto de quince disparos. Excelente arma, muy confiable y precisa. Nunca se trababa y la mano se adaptaba exactamente a las cachas de goma de las tapas del cargador, la culata. Resultaba algo pesada, cierto, pero las armas le gustaban así, que exhibieran su peso. Tal vez sería más conveniente elegir la otra Bersa, la 22 LR, unos doscientos gramos más liviana. Podría reemplazar el calibre inferior de menor potencia por proyectiles de punta hueca, ellos aumentaban el poder del impacto al abrirse dentro del blanco. Su uso no estaba permitido pero se fabricaban, se vendían y se utilizaban. Otra de las paradojas del capitalismo. Entonces recordó aquel Colt 38 de caño corto que heredó de su padre. El mecanismo de doble acción permitía martillar el arma y luego disparar o apretar simplemente el gatillo. El tambor rodaba entonces, e inmediatamente después de que el percutor perforara el fulminante, el cilindro giraba colocando el próximo cartucho en posición de fuego.

No había registrado el revólver en el RENAR, eso lo convenció pues no había modo alguno de relacionarlo con él. Además, nunca erraba el blanco cuando lo disparaba hasta un límite de veinte metros. Era el arma adecuada, la transportaría junto a una caja de proyectiles bajo del asiento del automóvil. No se acostumbraban los controles rigurosos en la Triple Frontera.

La idea de compartir la aventura con La Nodriza lo inquietaba. Carlos la desaprobaba. Insistía en la imprudencia de la decisión. Según él se trataba de una torpeza, de una inadmisible osadía. De una desacertada temeridad y de un acto de negligencia. No podía hacerse el desatendido entonces. Se prometió vigilarlo con cuidado. Enjuto, arrugado, el cabello oscurecido por la tintura y ojos de ave de rapiña, el viejo parecía hecho para la vileza. Agudizaría su percepción y le ganaría en astucia. Carlos quería unirse a ellos y participar en la empresa. Participaría, sí, pero no viajando. Lo haría de un modo diferente. Operaría como base, como control a distancia y como último recurso al que recurrir en caso de urgente necesidad.

Un ensordecedor ruido de bocinazos interrumpió el curso de sus pensamientos. Una y otra vez, incesantemente, el estruendo de las bocinas invadía la tarde rebotando contra los edificios.

"Una protesta", supuso Ramiro. En las grandes ciudades de

la Argentina los soliviantados ánimos de la población se expresaban contra esto y aquello mediante apagones masivos, golpeteo de cacerolas, el agudo pitar de los silbatos soplados por ciudadanos enfurecidos, gritos e insultos. Y también timbrazos y bocinazos.

Ramiro llegó hasta la ventana y la abrió.

La enorme columna de taxistas se extendía a lo largo de cuadras y cuadras. De pronto recordó. "Protestan por la muerte de un compañero", se dijo, "fue encontrado asesinado de un balazo en la frente dentro de su taxi, en el barrio de El Saladillo".

5

Resguardada en la retina de los astutos ojos de La Nodriza, bullía la figura esbelta de la Mae Pequenha. Las imágenes del baile frenético cargado de salvaje sensualidad persistían en su reclamo. El deseo sexual no parecía agotarse en la vejez y el anciano se había excitado de un modo total y completo. La lubricidad desatada lo acongojaba produciéndole una turbación y ansiedad que no conseguía dominar.

"Las ocho de la mañana..., ¿dónde puedo ir a esta hora?", murmuró a media voz.

Cien pesos del dinero entregado por Ramiro y Carlos para la consulta del oráculo yacían sepultados en uno de los bolsillos de su pantalón. Sus dedos acariciaban el billete.

La Nodriza esperaba el sacrificio de un gallo o gallina y que la Mae Pequenha consultara los signos de las entrañas abiertas y no esa danza que le despertó tal pasión devoradora. Sería bien recibido y hasta bienvenido en La Casa China, un burdel próximo al puerto... No quedaba lejos, atendían a los clientes durante las veinticuatro horas del día, en el lupanar se aprovechaba el tiempo.

El dinero se acumulaba en las arcas de su dueño, un coreano sin escrúpulos. "¡La riqueza purifica! ¡Nos hace dignos del cielo!", exclamaba mientras encendía una barrita de sándalo de un sahumerio depositado al pie de un Buda de madera dorada.

La Casa China acogía a varias muchachas, casi todas bellas. Lilí y Lola, dos jovencitas impúdicas, trabajaban allí, vivían allí. Entregaban sus nalgas por cuarenta pesos. Lo hacían con alegría y con un sentido del goce sexual al que podría calificarse de fervoroso.

El máximo placer lo obtenían entre ellas, nacía del ardiente reclamo de sus caricias, del juego sagrado al que místicamente se entregaban durante el mutuo y rítmico desenfreno puesto al servicio del cliente.

Se prosternaría hincando las rodillas en tierra. Sin reserva alguna se inclinaría ante el delirio amoroso y desplazándose más allá del mundo, por unos instantes al menos, accedería al rostro oculto de Dios. Él mismo llegaría al éxtasis masturbándose hasta el agotamiento. Entonces vaciaría su angustia y descansaría, anestesiado, durante algunas horas.

La Nodriza dejó el prostíbulo al mediodía. Su organismo experimentaba una sensación de gran bienestar y ligereza. Podía dedicarse ahora a resolver los problemas cotidianos. Consultaría con algunos de los muchachos del Servicio, confirmaría presunciones y diseñaría un plan de acción. Se manejaría meticulosamente, con precaución, sin alarmar a nadie.

Jugaría a dos puntas, le parecía lo mejor. Le ganaría de mano a Ramiro y vendería la información a los amigos del Oponente o la bloquearía y ofrecería sus servicios al grupo liderado por El Emisario. Esto último sería más peligroso pero seguramente mucho más rentable.

Si todo marchaba bien, como lo suponía, podría conseguir el dinero para abrir su propio boliche. Una whiskería en la que trabajarían alternadoras capaces de sacarles varias copas a los clientes. Su propia sobrina, muy bonita y muy putona, podría desempeñarse como encargada durante las noches y él se ocuparía de explotarlo durante el día como café al paso y tapadera para el juego clandestino. Descontaba que la droga que compraría y vendería le dejaría una pingüe ganancia.

Más tarde dormiría unas horitas, con eso sería suficiente para reponer fuerzas. Nunca necesitó dispensarle mucho tiempo a esta actividad fisiológica que le incomodaba. Solía despertarse sobresaltado, temeroso e irritado a causa de un mal sueño o pesadilla que le salía improvisadamente al paso. Bebía mucho, pero comía poco. Seguramente por ello permanecía delgado.

Carlos parecía un romántico pero tenía los pies bien plantados sobre la tierra. Ramiro, en cambio, se mostraba como un hombre práctico y sin embargo tenía todo el aspecto de un idealista recalcitrante. Tal vez se centraba excesivamente en sí mismo. Autoreferencial, sería la palabra adecuada para expresar su inserción en el torrente de la vida.

"Cuidado con Carlos. Parece un boludo pero es un bicho que se las trae", se advertía.

Si los dos amigos desconfiaban de él, la suspicacia parecía mayor en Carlos. Ocasionalmente lo miraba de un modo esquivo, ¿se violentaba a sí mismo al hacerlo? Otras veces le clavaba los ojos inquisitivamente, como si quisiera arrebatarle sus más profundos secretos. Reservado y receloso, le temía y no lo disimulaba demasiado.

Ramiro, por su parte, lo atisbaba secamente con un aire arrogante y desdeñoso, difícil de interpretar. Su carácter necesitaba el sobresalto, el vivir en continua zozobra. No sería sencillo engañarle y dañarle si resultaba necesario.

"Lola y Lili estuvieron bárbaras", pensó... Tanta locura y arrebato, tanta embriaguez de los sentidos, las putitas sabían desprender la lujuria de sus cuerpos flexibles, buscaban al Diablo en sus caricias. Él logró alcanzar su orgasmo de viejo a pesar de la semierección de su pene venoso. Por eso se sentía satisfecho. Por eso y a causa del proyecto que comenzaba a vislumbrar.

6

Carlos miraba las noticias emitidas por la televisión cuando escuchó la campanilla del teléfono. Todavía conservaba un aparato de los años cuarenta de bakelita negro y de llamador a disco, una rareza en estos días y una concesión al pasado. Fue de su madre y le pertenecía ahora.

-Hola...

-Carlos..., habla Ramiro.

-¿Cuándo viajás?

-Esta noche.

-¿Tan pronto? ¿No conviene esperar? ¿Terminaste los preparativos?

41

-No son complicados. Está todo dispuesto.

-No te asustés. Seguiremos el Plan. Te rendiré un parte diario, ¿sabés qué hacer si surgen complicaciones?

-Por supuesto. Tendré la mente abierta para moverme según las circunstancias...

-Guardá bien los números de los teléfonos y las direcciones que te di.

-Seguro, paso por tu casa para despedirte.

-De ninguna manera. No me gustan las despedidas. Estamos en contacto.

-Un abrazo...

-Otro...

Con un sentimiento de desazón y desasosiego, Carlos colgó el auricular. Le preocupaba la soledad desesperada de Ramiro, su desdén por lo cotidiano y su temeridad..., ¿qué le impulsarían a hacer? El doblez de La Nodriza lo intranquilizaba, su siniestra personalidad y el ambiente de la Triple Frontera pleno de intrigas, violencia soterrada y malignidad.

Imaginó a Ramiro colocándose el cinturón de seguridad, recogiendo a La Nodriza que lo aguardaba en la Plaza López, pisando el acelerador del automóvil y aferrándose al volante con tenacidad.

Adivinó la presencia del 206 eludiendo los baches de las calles, adentrándose en la ruta, acelerando con el propósito de sobrepasar a un camión tanque y desplazándose como una mancha roja a lo largo de la carretera.

¿Qué pensamientos acuñaría la morbosa mente de La Nodriza? Esperaba que Ramiro no le otorgara su confianza, seguramente no lo haría. Nunca llegaría a tal insensatez. Ramiro debería moldear el acontecer con sus actos, ello parecía una tarea titánica, propia de un Hércules, ¿lo lograría?

La aventura, un descenso tenebroso hacia el infierno, adquiría la forma de su desesperación. ¿Y Geralsina?, ¿encontrarían a la hechicera?, ¿cómo los recibiría?, ¿develaría su secreto?

7

Enfundada dentro de un vestido rojo muy ceñido, Geralsina echaba llave a la puerta blanca, de grueso latón, de su casa verde de Ciudad del Este. Con gráciles movimientos descendió los cinco escalones que la depositaron en la vereda. Caminaba con una cadencia voluptuosa, su cuerpo irradiaba un fuerte soplo de vida. La mujer se afirmaba en su andar, se encontraba a sí misma y se exaltaba.

El Emisario la consultó una vez sobre su destino político, sobre las humillantes angustias de un pasado que tenía incrustado en el alma. Inmediatamente se entendieron. Ella provenía de tres generaciones de esclavos sometidos hasta el escarnio, degradados en su condición humana. Él, de una familia pueblerina venida a menos. Al despertar su adolescencia el padre abandonó la progenie de cinco hijos.

En un estado alucinado de su espíritu la poca escrupulosa madre no dudó en prostituir a sus dos hijas ante la imperiosa necesidad de dinero. A él mismo, a quien entregó a la satiriasis de un estanciero que lo obligaba a vestirse de mujer y lo sodomizaba los sábados por la tarde en compañía de íntimos amigos.

Geralsina compartía con él este tipo de humillaciones. A los trece años de edad había sido violada por su padre, con quien mantuvo relaciones incestuosas durante dos años, hasta la muerte de éste, provocada por un infarto masivo del corazón. Nunca pudo saber con certeza si sus brujerías y hechizos incidieron en tal desenlace. Luego fue enviada a trabajar como empleada doméstica a la casa de un matrimonio paraguayo. Fue la mujer esta vez quien la acorraló en su propio cuarto, la ataba a la cama y la corrompía con besos impúdicos y lúbricos que le descubrieron el orgasmo. Un año después la mujer murió en un accidente de automóvil, ¿como efecto de su magia? Se creía responsable de otras muertes. Los hombres perdían la cabeza por ella, metafóricamente a veces y literalmente otras. Este pensamiento le provocó una desdeñosa sonrisa.

Al principio El Emisario le pidió hacer en su nombre pequeños encargos, entregar o recibir un paquete aquí y allá. Realizar algunas llamadas telefónicas o conseguir hermosas muchachas para sus conocidos, sindicalistas y políticos argentinos, hombres de negocios de ascendencia árabe o árabes ellos mismos. Algunos norteamericanos que suponía espías o metidos en el negocio de la droga, franceses que se presentaban como periodistas, brasileños como ella, que comerciaban con autos robados, y colombianos traficantes de armas. A cambio le entregaba dinero, montos importantes a veces, y le presentaba personajes de relevancia política y económica quienes le pagaban cientos de dólares por los servicios de adivinación o sexuales que les brindaba.

Más tarde, cuando se conocieron mejor, se hicieron cómplices de negocios de todo tipo, casi todos ilegales. Le presentó al Caudillo quien, como lo hizo la pasada semana, la consultaba para tomar muchas de sus decisiones políticas.

Sospechaba que esta vez algo saldría mal. El Emisario rechazaba la resolución tomada por El Caudillo. No podía comprenderla. Argumentaba que el hombre era un triunfador. "Siempre que se lo propuso logró el éxito", sostenía, "y en la segunda vuelta también lo conseguirá". ¿Cómo iba a desistir ahora? Debía jugar audazmente sus cartas y presentarse al *ballottage*. Sin embargo, abandonaba la partida sin concluirla. Esto no podía suceder, él y muchos como él tenían demasiado por perder.

El Emisario la mandó llamar. "Se trata de un tema urgente", dijo irritado. "Te espero sin falta y te recomiendo puntualidad". Ella sería puntual, por supuesto. Siempre lo era cuando esperaba un encargo confidencial y éste parecía muy secreto.

Geralsina llegó a la parada de taxis y tomó uno. "Al Gran Hotel", ordenó. El Emisario gustaba del lujo y de la ostentación. Había logrado ascender al tope del sindicato, a la Secretaría General del gremio. Lo hizo a fuerza de tesón, capacidad de mando y de manejos turbios en los que tuvo que utilizar la violencia. De ese trampolín saltó a la política, aunque nunca dejó la jefatura del sindicato base de su poder. Supo codearse con los ricos, a quienes odiaba y admiraba al mismo tiempo. Lo había hecho desde adolescente..., conocía sus temores, sus gustos e imitaba sus refinamientos.

El Emisario era un operador político de primera magnitud, por eso le dieron tal apodo. Actuaba bajo órdenes de otros, sobre todo de El Caudillo. Sin embargo, en esta ocasión lo hacía por cuenta propia. Y esto podría acarrear dificultades y peligros. Geralsina lo intuía y se preocupaba.

El taxi frenó ante las amplias puertas del hotel.

-Llegamos.

-El portero le pagará -dijo Geralsina.

Deferente, el ujier vestido con un llamativo uniforme abrió la puerta del vehículo con una reverencia, informándole:

-El señor se encuentra en la sala comedor.

-Gracias.

Geralsina caminó hacia el edificio. El portero y el taxista siguieron su paso con mirada atónita y encendida.

La mujer cruzó el amplio salón pleno de *boutiques* en las que se ofrecían todo tipo de objetos. Pasó la recepción e ingresó al lujoso salón comedor. Una luz tenue iluminaba el recinto agradablemente refrigerado. El murmullo de charlas sostenidas en voz baja se mezclaba con la música de *bossa nova* que en tono discreto, invitando al relax, emanaba de un piano. Su joven ejecutante lucía un smoking blanco.

Geralsina descubrió al Emisario sentado a una mesa ubicada al lado de un ventanal que ampliaba la visión hacia una piscina iluminada con luces multicolores.

El hombre, de negra cabellera ensortijada, exhibía sus canosas patillas. Vestía un traje azul y camisa celeste. Una refulgente corbata amarilla completaba su elegancia algo gansteril. Llamó a la deslumbrante mulata con un gesto del brazo izquierdo.

La muchacha fue a su encuentro con su paso ligero y armonioso.

-¡Geralsina! ¡Qué linda estás!... -exclamó incorporándose para besar su mejilla.

-Hola..., ¿cuándo llegaste?

-A la seis de la tarde.

Muy cortés, El Emisario corrió la silla permitiendo a la mujer acomodarse en ella.

-¿Cuánto tiempo te quedarás?

-No lo sé. Depende de las circunstancias.

-¿Se han complicado las cosas?

-Bastante..., más de lo que creí posible.

-¿Qué van hacer?

-Lo estamos planificando..., es decir..., tengo mi opinión sobre el tema.

-¿Y los otros? ¿Te apoyan?

-No todos..., pero lo harán..., puedo ser muy persuasivo si me lo propongo...

-Lo sé, o compras a la gente o la presionas...

-Bueno sí, esos son mis métodos.

-Disculpen... les dejó la carta -dijo el camarero con tono remilgado y algo obsecuente.

-Gracias... -respondieron los dos al mismo tiempo.

Geralsina observaba el rostro tostado del Emisario, el fruncimiento del entrecejo pasando revista al menú. ¿Qué le propondría?

-Pediremos *champagne* francés, Un *Don Pérignon*. La bebida debe honrar la calidad de nuestros gustos... ¿Comenzamos con un *cocktail* de langostinos?

-Sabes que no puedo aguantar el gusto del pescado y menos de los mariscos.

Durante un año y medio Geralsina trabajó como ayudante de cocina en un restaurante de pescados. No podía soportar el hedor que durante ese tiempo se le pegó al cuerpo, especialmente el de los mariscos.

-Sí, cierto, disculpame...

-Pediré pollo frito, acompañado con arroz.

-Es una comida poco elegante.

-De gente humilde querrás decir.

-No figura en el menú.

-¿Qué importa? Tienen pollo y tienen arroz. Pueden freír el pollo y traerme un timbal de arroz.

Hicieron el pedido. El Emisario extrajo del bolsillo de su chaleco una cigarrera de cuero de Rusia. La abrió y tomó un *Romeo y Julieta*, media corona. Encendió el cigarro cubano con un encendedor *Dupont* de oro y exhaló el humo con fruición.

-No vas a tener tiempo de terminarlo. La comida llegará pronto.

-No importa. Lo dejo en el cenicero y después me fumo otro. ¿Para qué tengo dinero si no me puedo dar los gustos? -dijo con un ademán displicente. Utilizaba el brazo izquierdo, algo más corto que el derecho, cuando deseaba enfatizar con gestos sus palabras.

-¿Para qué me quieres?

-Para muchas cosas... Me gustaría que jugaras conmigo después de cenar. Y además tengo para vos un trabajito, de tu especialidad.

-¿A quién debo seducir?

-A un cabeza dura que no se deja convencer. Confío en vos para hacerle cambiar de opinión.

-No soy tan persuasiva...

-Lo sos, más de lo que pensás... De todos modos, lo filmaremos en poses obscenas, ridículas y humillantes. El tipo tiene un matrimonio consolidado, no querrá herir a su mujer a quien ama, ni a sus hijos..., ni exponerse a la burla de sus relaciones sociales...

El camarero descorchó la botella con pomposidad, luego derramó el *champagne* en las copas.

-Servidos... -afirmó.

-Hágame marchar un filet de lenguado Reina Isabel con *sauce blonde* -pidió El Emisario.

-Muy bien señor..., ¿alguna entrada para la señorita?

-No deseo, gracias.

-Tengo una sorpresa para vos.

El Emisario inclinó su torso hacia delante y con la mano derecha incursionó en el bolsillo de su chaqueta del que extrajo un pequeño estuche de seda negra.

-Tomá... Este regalo se debe a lo que hiciste por mí. Consideralo un beneficio extra.

Geralsina tomó y abrió el estuchecito. Le brillaron los ojos.

-Ji, ji, ji, es hermoso. Siempre quise tener un anillo de oro con brillantes... Gracias, muchas gracias...

-Te lo merecés, las mujeres como vos se merecen eso y mucho más. Son unos de los lujos de la vida y además, vos sos un arma letal... Menos mal que te tengo de mi lado. No quisiera ser tu enemigo, por nada del mundo...

-Para ti yo soy El Diablo -dijo con coquetería, en tanto que se colocaba la joya en el dedo anular.

-El Diablo no tiene nada que hacer frente a vos... Sería solamente un pobre diablo. Considerándolo bien tendrías que estar presa, por la seguridad pública, por el bien de los hombres. Sos un animal lascivo..., un completo vicio....

-No soy tan depravada... Sólo una monita mimosa...

El mozo distribuyó el plato de pollo frito y el *cocktail* de langostinos sobre la mesa.

-Intuyo que El Caudillo no está al tanto de tus planes.

-Es cierto. Pero actuaremos lo mismo. Será el único modo de recuperar el poder. No tenemos opción.

Geralsina comía pequeños trocitos de pollo y abundantes porciones de arroz. Manipulaba los cubiertos con presteza y donaire.

-Me parece que cuando El Caudillo se entere te meterás en problemas.

-Será un sorpresa para él, cierto. Pero después me lo agradecerá. Está hecho para El Poder, sin él se enferma y decae... Le devolveré la vida.

-¿Recuerdas el negociado de las armas?... Cuando el asunto explotó no dejaste piedra sin voltear, eliminaste todos los cables sueltos. Hubo un momento en que el asunto estuvo bien complicado y tuve que intervenir mágicamente. "Ponte de rodillas y reza al Diablo, a tus dioses negros", me pediste. Así lo hice y además le arrebaté el corazón al posible arrepentido que amenazaba con declarar. Murió sin darse cuenta y con mucho placer, entre mis brazos...

-¿Qué veneno usaste?

-El del *orixa*, el veneno de la planta sagrada. En este caso y hasta el momento salieron bien las cosas. Pero algo me dice que no nos irá bien esta vez.

-¡Estás loca! ¡No podemos fracasar! ¡No lo haremos!...

-¿Me permite? Retiro los platos. Ya le traigo el filet de lenguado, señor -explicó el camarero cordialmente.

El pianista dejó la *bossa nova* de lado y ampliando su repertorio comenzó a tocar *Según pasan los años*. Lo hacía con gusto y cierto desasimiento.

-La idea se gestó en la ciudad de Rosario, donde El Caudillo pronunció su discurso de campaña electoral. Asistió un público numeroso. Sin embargo, el grupo de asesores comenzó a joder con las estadísticas. Argumentaban que los números no daban. ¡No creo en esas cosas! Las cifras son manipulables. El carisma no. Y al Caudillo le sobra carisma... -afirmó El Emisario con aire socarrón.

Sonriendo, Geralsina le preguntó:

-La idea, como le dices, ¿fue tuya?

-No, yo la apoyé inmediatamente. Surgió de un político ex Guardia de Hierro, en una reunión que él mismo propuso. Nos encontramos en El César, El bar en el que hacen esquina las calles Córdoba y Corrientes. Nos juntamos cinco tipos muy íntimos y con bastante poder dentro del partido. Allí, entre cafés y whiskys, comenzamos a tratar el tema. No tuvimos dudas, pues si eliminamos al Oponente, El Caudillo queda sin rival para la segunda vuelta.

-¿No tienen miedo al quilombo, a la protesta de la gente?

-El Oponente no tiene votos propios. Y el porcentaje que consiguió es exiguo. Además, con el despelote que hay en el país un quilombo más no importa.

-Pero..., será un quilombo mayúsculo.

-¿Te parece? ¿Qué le vamos a hacer? A aguas revueltas...

-Ganancia de pescadores...

-Exacto. Hay que jugársela. En política siempre hay que hacerlo. "El mundo es de los audaces" -citó El Emisario.

Llegó el filet de lenguado a la Reina Isabel. Varios comensales contemplaban admirados la exótica belleza de Geralsina.

El Emisario manejaba los cubiertos con eficacia y distinción. A primera vista al menos su urbanidad resultaba impecable. Sus ojos brillaban y el leve tono rojizo de su rostro demostraba los efectos del alcohol y el de la vehemencia interna que le provocaba la conversación.

-Me parece que tienes algo más para decirme... -murmuró Geralsina.

El Emisario la observó asombrado. La perspicacia de la mujer lo sorprendía, una y otra vez.

-Unos momentos antes de que llegaras recibí una llamada telefónica. Uno de mis amigos del Servicio me informó que un tipo, La Nodriza, también del Servicio, se viene para acá... Parece que sabe algo e intenta saber más... El tipo es un francotirador. Está con él mismo, siempre lo estuvo. Tendremos que captarlo o eliminarlo, ya veremos... Posiblemente lo utilizaremos...

-Entonces... no significa un gran problema.

-Quizás él no, pero..., tiene compañía... Viaja con un periodista, un intelectual dedicado a la investigación política. Ya ocasionó serios inconvenientes con sus notas, bien fundamentadas, en las que denunció asuntos que nos convenía mantener ocultos. Lo apretamos algunas veces pero nada, no nos sirvió de nada... Puede representar un serio peligro, para controlarlo cuento con vos.

-¿Qué puedo hacer yo?

-Seducirlo y llegado el caso eliminarlo o ayudarnos a ello.

Una sombra de fastidio cruzó fugazmente el semblante de Geralsina, ¿lo notó El Emisario? A pesar de su aplomo, de su implacabilidad y sangre fría no le agradaban esos trabajos, los padecía. Su capacidad de daño la estremecía, así como su propia crueldad. Un calambre eléctrico recorrió su cuerpo.

-¿Qué te pasa?

-Sentí un escalofrío..., me parece que el aire acondicionado está muy fuerte.

-¿Con este calor?

En ocasiones se sentía abyecta, excesiva y viciosa. Tan atrozmente sometida a la experiencia del mal que se pensaba como una monstruosa creación de la naturaleza. Sin embargo, no sufría sentimientos de culpa. Solamente se temía a sí misma.

-Pediré un helado de crema de menta.

-Yo no quiero postre. Enciendo un cubano, me echo unas bocanadas de humo y subimos...

Cuando dejaron la mesa, Geralsina percibió que las miradas se concentraban en ella, en sus bamboleantes caderas y en la expresión sensual de su rostro.

El Emisario fue consciente de que era objeto de envidia. Esto le produjo intensa satisfacción. Le gustaba ocasionar resentimiento en los otros, le permitía suponerse superior. Alguien cuya presencia reflejaba las carencias ajenas. Se regodeaba con ello. El ascensor los dejó en el noveno piso y enseguida ingresaron al confortable cuarto que exhibía un lujo de oropel.

-Voy al baño -dijo El Emisario.

Geralsina se despojó de sus ropas muy lentamente y ante un espejo. Sonreía satisfecha. Admiraba su cuerpo, sus pechos espléndidos rematados por unos pezones de admirable textura, su vientre chato, su largo cuello y las prologadas piernas de bailarina.

"El día que los hombres me dejen de mirar me enveneno", pensó.

Encendió la música funcional y se extendió en la cama adoptando la postura de la Maja Desnuda.

La puerta del baño se abrió. El Emisario estaba irreconocible. Los ojos y la boca pintados, un collar de terciopelo negro rodeaba su cuello. El cuerpo desnudo refulgía bajo los efectos de un aceite untuoso, una diminuta bombachita bikini de color rojo cubría su sexo.

-¿Te gusto? -preguntó dando unos pases de baile.

-Estás hermosa...

-Decime puta, putaza...

-Eres una puta de mierda, una reputa que se hace romper el culo... -vociferó Geralsina.

El Emisario giraba y giraba, hacía revolotear los brazos sobre la cabeza y cimbreaba las caderas. Prosiguió su danza ante el espejo.

-¡Estoy buenísima!... ¡Soy más yegua que vos!...

-¡Eres una chupavergas!

Desplazándose al ritmo de la música, dando cortos saltitos y vueltas, El Emisario se acercó a la cama. De un salto Geralsina se puso de pie.

-¡Soy putísima!...

El Emisario se zambulló en el lecho, boca abajo comenzó a mordisquear las almohadas. Mientras tanto, Geralsina extrajo de bajo de la cama dos cuerdas y un látigo.

-¡Ven para acá, dame tus manos! -ordenó.

Con rápidos movimientos cubrió las muñecas con dos pañuelos de seda y las rodeó con unas sogas que ató a los barrotes de la cabecera de la cama.

-¡Así me gusta tenerte! ¡Indefenso! ¡Puedo hacer contigo lo que me venga en gana! -gritó la mulata. Tomó el látigo y comenzó la flagelación.

-¡Más fuerte! ¡Dame más fuerte!

-¡Sin asco te doy!...

Sobreexcitada, azotaba y azotaba con todas sus fuerzas. Los lonjazos caían sobre la espalda, las costillas, los brazos y sobre los glúteos, especialmente sobre los glúteos.

-¡Aguántala ahora, puto de mierda!

-¡Así!... ¡Seguí así que me acabo!

-¡Acábate! ¡O te acabas o te hago mierda! -chillaba Geralsina.

Los latigazos dejaban su marca encarnada, y poco a poco algunas gotas de sangre comenzaron a brotar.

-¡Goza, putazo!... ¡Goza!...

La mujer siguió azotando, El Emisario se retorcía entre las sábanas.

8

La ruta se encontraba casi desierta y el Peugeot 206 iba lanzado a 140 kilómetros por hora. Llevaban el acondicionador de aire encendido. De un CD emanaban los acordes de la sexta sinfonía de Gustav Mahler.

La Nodriza dormitaba y Ramiro, concentrado en la conducción del automóvil, no quitaba los ojos del camino. Un área de su mente comenzó a apartarse y a divagar, se extendió más allá del viaje entrando en el circuito de los recuerdos. Imaginó los muebles de la oficina de *El Diario*, que compartía con otros dos periodistas, gastados por un uso que soportaban con decencia, los colegas que se movían de aquí para allá, la muchacha que servía en el bar de la esquina con sus lánguidos ojos azules y sus modales inconclusos e intensos. Vio los rastros de la aventura emprendida en las facciones alteradas y ansiosas de Carlos y contempló a Sonia, pulcra, muy bien acicalada y elegante dentro de su solera verde manzana. Se apoyaba sobre el marco de la puerta del dormitorio. Su actitud contrariada y ruda contrastaba con su armoniosa estampa. "Tu amigo es un mal ladrón y un irresponsable, ¿cómo pudo cobrar tanto dinero por instalar las luces de la parrilla? Además, metió la pata, desactivó la línea eléctrica del aire acondicionado. Nos agobió el calor del día y de toda la noche. No pudimos dormir, ¿te acordás?

Ramiro se calzaba los zapatos y aprovechó la oportunidad para esquivar el reproche de Sonia concentrándose en la tarea.

"Recién a las ocho de la mañana y con voz de borracho contestó el teléfono: disculpá Sonia..., no estuve en casa..., me doy un baño y enseguida voy para allá", imitó Sonia.

Evidentemente no debió encargarle el trabajo. Lo hizo con la intención de darle una mano, el favor le permitiría ganarse unos pesos, los necesitaba. El Flaco tenía esa naturaleza despreocupada y melancólica al mismo tiempo. Andaba a los tumbos por la vida. Chocando una y otra vez con la pétrea realidad. "Si pateo todas las piedras que encuentro por los caminos me quedo sin zapatos", solía decir. Quizás eludía las piedras pero no los problemas, que acumulaba uno tras otro. Bebía todo lo que encontraba a su paso, hasta el agua de los floreros. Cobró el dinero y se fue de parranda, ¿estaría en condiciones de ocuparse del aire acondicionado?

Recordó una anécdota de fines de los setenta, El Flaco militaba en la resistencia peronista, eran muy compinches en esos días. Todas las noches El Flaco compartía la cena preparada por su compañera en el departamento estilo *Art Decó* que alquilaban en la calle Sarmiento al 500. El Flaco disponía de un juego de llaves propio, tan íntimamente los frecuentaba.

Una tarde su compañera regresó al departamento y lo encontró desarmando el lavarropas.

"¿Qué hacés, flaco?" Sorprendido en pleno trabajo éste se sobresaltó. "¡¿Eh?! ¡¿Eh?! ¿Se rompió el lavarropas? No..., no..., disculpame..., necesito el reloj, debo armar una bomba..., los muchachos tienen una acción mañana..., no contamos con material disponible y a mí..., bueno a mí..., se me ocurrió que podía utilizar el reloj del lavarropas..., total..., tenés en la esquina a doña María, la señora que lava ropa... ¡Rajate flaco! ¡Dejá las llaves de la casa y rajate!..."

Y ahora recibía las quejas de Sonia. "¡Al menos ese flaco hediondo se está duchando! Su transpiración no se aguanta. Rocié con desodorante los ambientes y el tufo no desaparece, se adhiere a las telas de las cortinas y al tapizado de sillas y sillones. ¡Siempre te estafan! ¡Sos un ingenuo y tu amigo un hipócrita..., un cínico!..." A Sonia le caían mal sus amigos, El Flaco y todos los otros.

Reconstruyó la callejuela lóbrega e irregular cuyas veredas se estrechaban hacia la cortada, un verdadero *cul de sac,* en esa noche cerrada y enervante en la que el tipo grandote, de mirada turbia, lo acorraló contra la pared.

En el lapso de tres días recibió amenazas que escuchó desde el teléfono de su oficina. No las comunicó ni a sus colegas ni a la policía. "¡No jodas con El Corcho! ¡Dejálo tranquilo! No publiqués otra nota, si no..." Indignado colgó el auricular cortando la conversación. Nunca pudo conocer el castigo que se le infligiría porque apenas reconocía la voz grave, de cantante de tango, pronunciando las palabras conminatorias; furioso descargó el tubo receptor con fuerza contra el aparato telefónico cortando la comunicación. *A contra corriente.* Y aquella noche oscura como un abismo sin fondo el tipazo emergió de entre las sombras y se le echó encima con la energía de una topadora. No se inmutó, buscó en el bolsillo de su camisa el gas defensivo y a un metro y medio descargó el spray de mostaza y pimienta apuntando hacia los ojos de su atacante. El hombre se paralizó y comenzó a estornudar y a refregarse los ojos. "Ay, ay..., mal parido..., ay..." Ramiro aprovechó la ocasión, lo echó al piso con un empujón y corrió hacia las calles más transitadas.

Ramiro palpó el bolsillo izquierdo de la campera de tirador que portaba. Conservaba el tubito de aluminio cargado con el spray defensivo. La Nodriza emitía un ronquidito opaco, muy compacto, que apenas se escuchaba. El camino continuaba desierto.

Publicó otra nota relatando la conexión entre droga y política. Sin dar nombres precisos. Para hacerlo necesitaba evidencia que aún no poseía.

Recibió otra llamada amenazante. En esta oportunidad, a través del teléfono de su domicilio. La misma voz modulaba una tonalidad más siniestra esta vez: "Gallito putón. Te hacés el corajudo..." Con el mismo furioso temperamento de otrora cortó la conversación: *A contra corriente*. Pero en esta ocasión dio aviso a dos de sus colegas y a un juez amigo, quien extraoficialmente no puso reparo en que portara un arma. "Con estas cosas nunca se sabe", como si se supiera de las otras, "primero está tu vida..., será mejor formalizar la denuncia. Pero ¿para qué sirve? Tenés el derecho de defensa propia pero no debés sobrepasarte en la contra agresión..."

Entonces decidió cargar la Bersa 22. La colocó entre el cinto y la cintura, sobre la izquierda. Al alcance de un rápido desplazamiento del brazo derecho. Puso un proyectil en la recámara y el seguro, podría soltarlo con el pulgar y disparar el arma muy velozmente. El calibre 22 RL resultaba muy apropiado para la acción autodefensiva, moderaba la agresión. Su impacto podía ser letal en caso de herir órganos vitales. De todas maneras tenía un poder destructivo inferior al del 38 o al de un 9 mm. Desestimada la muerte, facilitaba la disuasión al permitir lastimar sin demasiado daño. En ese caso cumpliría con el consejo del juez.

Dejó a Sonia a las puertas de la Facultad de Humanidades y Artes. Muy entusiasmada y ansiosa por asistir a una conferencia que dictaría el filósofo italiano Gianni Vattimo, "ese nietzscheano postmoderno tan elegante". Según ella el maestro redescubría el camino hacia Dios. O, al menos, rediseñaba el significado de la experiencia religiosa.

Al poner la primera observó el retrovisor y le llamó la atención un Volkswagen Gol gris ubicado coche por medio del que conducía. Continuó por calle Entre Ríos y cuando la luz del semáforo se lo permitió, giró hacia la derecha accediendo a la avenida Pellegrini. Al rodear la rotonda para internarse en el Parque Independencia supo que el Wolkswagen lo seguía. El frío crepúsculo invernal mantenía los recovecos del parque libre de transeúntes.

Disminuyó la velocidad y condujo hacia el estadio de fútbol de Newell's. Detuvo el automóvil frente al Museo Histórico Provincial, quitó el seguro del arma y descendió. *A contra corriente.* Hicieron lo mismo los dos ocupantes del Gol. El tipazo que lo encerró en la cortada usaba antiparras y se colocaba un pañuelo mojado cubriendo su nariz. El otro, un petiso morrudo, hizo lo mismo.

El grandulón mostraba ahora una cachiporra, mientras que el hombre bajo lucía un puño americano de bronce sobre los nudillos de la mano derecha.

Lentamente se le aproximaban.

Ramiro los enfrentó. Tomó la pistola y disparó tres veces. Erró el primer tiro pero el segundo penetró el muslo izquierdo del grandote, quien exhaló un grito. El tercer tiro impactó en el brazo derecho del pequeño matón.

"Ni intenten sacar sus armas. Ahora amenazo yo: la próxima vez que los vea, no andaré con chiquitas. Los liquido con una 45. Boca abajo los dos, extiendan los brazos. Hacia arriba. ¡Muy bien!"

Los palpó de armas. Cada uno llevaba una pistola Browning y un cargador de repuesto. Las tomó.

"Pensándolo bien, los mataré con una de éstas", exclamó.

Sin dejar de vigilarlos retrocedió hasta el Volkswagen. Revisó rápidamente su interior. No había otro armamento a la vista.

"¡Vayan a hacer la denuncia a la policía!", les gritó.

Subió a su coche, embragó, puso la primera y se marchó. *A contra corriente.*

"¡Estás loco! ¡Rematadamente loco!", exclamó Sonia cuando se enteró. "¡¿Y yo?! ¿Si se vengan conmigo? ¿Lo pensaste? ¡Qué vas a pensarlo! ¡No te soporto más! Te crees el muchachito de las películas..."

La prensa no registró el hecho. El juez amigo ordenó una guardia policial apoyándose en su anterior denuncia de amenazas.

No le tomó declaración sobre los nuevos acontecimientos. "Hacete el boludo mientras puedas", le propuso. "Llegó un patrullero de la policía al lugar del hecho pero solamente halló rastros de sangre. No hay testigos". Así lo hizo.

Unos quince días después encontró su automóvil totalmente calcinado en la cochera. El seguro no quiso pagarle la póliza argumentando que el incendio fue intencional.

"En efecto lo fue. El incendio fue causado por quienes me amenazaron...", insistió Ramiro y exhibió su denuncia. Sin embargo, el seguro se negó a pagar cobijándose bajo un artículo de la letra chica de la póliza, muy ambiguo, que diluía la responsabilidad de la aseguradora en caso de fuerza mayor.

Ramiro entabló juicio y el proceso, después de año y medio, estaba lejos de resolverse.

Luego del atentado contra el automóvil, Sonia lo abandonó por primera vez; la segunda ocasión fue la definitiva.

Por un instante, sólo por un instante, Ramiro perdió el control del 206. La cubierta derecha mordió la banquina y el automóvil se desestabilizó peligrosamente, derrapando sobre la tierra varios metros y dejando tras de sí una estela de polvo.

Ramiro no volanteó, quitó el pie del acelerador. Condujo con habilidad y el coche redujo poco a poco la velocidad hasta detenerse.

-¡¿Qué mierda pasó?! -preguntó fastidiado La Nodriza.

-¡Zafamos!

-¿Pero qué sucedió?

-Me fui a la banquina, controlé un medio trompo.

-¡Boludo! Te quedaste dormido...

-No..., no... Reaccioné muy bien... Fui lúcido, no frené...

-¡Menos mal! Si lo hubieras hecho estaríamos muertos.

Descendieron del automóvil. Ramiro buscó en su chaqueta de caza y encontró la petaca de tabaco y la pipa. Las extrajo y con un temblor anhelante de sus dedos llenó la cazoleta de cerezo con la picadura.

La Nodriza aspiró profundamente el olor a hierba que se desprendía de los campos rojizos.

-¿Dónde estamos? -preguntó.

-A unos doscientos kilómetros de Posadas.

-Me quedé dormido, muy profundamente.

-Sí, como un bebé.

-Podríamos buscar un parador para tomar café.

-Algo habrá más adelante, digo.

Ramiro encendió la pipa echando unas bocanadas de humo.

-Uf..., ¡qué fumada! Vos también..., tenés cada vicio. Mi padre fumaba pipa. Usaba un tabaco fortísimo. Rara vez me besaba. Cuando lo hacía yo no podía reprimir una sensación de asco. Ese olor nauseabundo a tabaco... ¡Qué porquería!

-Éste es holandés, muy suave.

-Fumar produce cáncer..., como la virginidad.

Ramiro se desconcertó. El tipo lo tuteaba ¿Qué molde psicológico daba forma al carácter de ese hombre? ¿Un torturador que se preocupaba por los males que podía ocasionar la nicotina? ¿O era el aspecto moral del vicio lo que le preocupaba? ¿Un torturador moralista? No, eso no se concebía. Debía atribuirlo a un capricho de su amoralidad, a su carencia de reglas morales.

-Cada uno construye su propia muerte -sentenció Ramiro casi sin pensarlo.

-Así que ahora sos filósofo.

-Mejor continuemos con el viaje.

-Yo también puedo mandarme la parte de filósofo, puedo decir, toda existencia es un viaje hacia la nada.

-Sí, es cierto, pero el verdadero problema consiste en cómo y para qué se viaja.

9

El Emisario, arrellenado en el gran sofá del lujoso cuarto que ocupaba, fumaba un puro. Entre sus manos sostenía la cristalería cóncava de una copa repleta de coñac *Martel*. Saboreaba el fragante líquido aterciopelado y ardiente con el placer rotundo y presuntuoso del advenedizo con éxito.

Desgraciadamente, su proyecto se había empantanado. Molesto consigo mismo se cuestionaba, irritado, algunas decisiones tomadas en los últimos días, "desafortunadas", se decía. Tal aspereza de ánimo disminuía su autoestima tornándolo vacilante y esquivo. Por eso buscaba refugio en una cortesía extrema, remilgada. Para que su interlocutor no percibiera esa grieta de debilidad e intentara aprovecharse de ella.

Maestro en las artes de la manipulación y el engaño, supo liderar con eficacia el montaje de una compleja red internacional de empresas fantasmas. Una pantalla casi perfecta utilizable con diversos propósitos tales como el vaciamiento de bancos y agencias de cambios, transferencias y blanqueo de importantes sumas de dinero producidas por el narcotráfico, la venta ilegal de armas y la evasión de impuestos.

Planificó y llevó a cabo muy satisfactoriamente atentados y aprietes de todo tipo y ahora tenía dificultades serias, impensables en otro momento político, para obtener los explosivos. ¿Cómo hacer para realizar la nueva operación sin ellos?

-Habrá que recurrir al Sirio -propuso un hombrecito gordo, nervioso y calvo, de ojillos vivaces y enrojecidos. Probablemente por ellos y por la cortedad del labio superior, que exponía ante la vista del público sus largos dientes incisivos, le llamaban El Conejo.

-¿Podremos localizarlo de inmediato?

-No es posible saberlo. El hombre ama la clandestinidad, se oculta continuamente y se mueve de un lado a otro.

-Si no conseguimos el explosivo plástico C4, nos conformaremos con Trotyl.

-Decís que no lo podemos conseguir de Fabricaciones Militares, ni de otros depósitos del Ejército. ¿Lo comprobaste?

-Imposible en las actuales circunstancias. Todo cambió, al menos para nosotros.

-No podemos demorar la operación. Contamos con quince días a más tardar. O la realizamos en ese plazo o la cancelamos.

-Eso es impensable. Sería como suicidarnos.

-Si El Oponente llega a la presidencia de la Nación la pasaremos muy mal. Comenzarán las denuncias y las investigaciones. No podemos permitir eso.

-Por supuesto.

-¿Me alcanzás el agua mineral? Tengo la garganta seca.

"Uno de los síntomas del miedo" -pensó El Emisario.

10

Geralsina descendió del ómnibus, en la parada del barrio más pobre de Foz de Iguazú. Caminó con su andar bamboleante por las calles de tierra. Unos niñitos negros correteaban de aquí para allá detrás de una pelota de goma.

Esperaba que todo estuviera dispuesto para la ceremonia que tendría lugar el día siguiente. El collar adivinatorio, el traje de pequeños espejos incrustados, el turbante de seda rosa, el arco iris de madera con los colores de los antepasados, los tambores... Mañana el pueblo negro debía escuchar las voces de sus muertos. Ella los evocaría, en la plenitud de la medianoche.

Dos muchachitas la seguían, una de tez muy oscura, la otra una mulata café con leche. Alrededor de las casas de madera y latón, un círculo de tierra apisonada servía de patio, de jardín cuando se adornaba con macetas y flores, o de pequeña quinta en la que se cultivaban algunas hortalizas.

Geralsina vio a su madre sentada, bebiendo una limonada en el porche de la casa. La mujer mecía la cabeza de un lado a otro.

-Hola, mamá...

-Mi niña... ¡Qué elegancia!...

Las mujeres intercambiaron besos en ambas mejillas.

-Trae la sillita del dormitorio y siéntate a mi lado. ¿Quieres limonada?

La vieja negra hablaba un portugués muy cerrado con la modulación característica de los bantúes. Lo hacia con cansancio, arrastrando palabras gastadas ya en el fracasado esfuerzo por adaptarse a una vida de miseria.

Geralsina acercó la silla, se acomodó y tomó el vaso de la mano de su madre.

-Dame un poco.

-Búscate otro vaso. Éste es mío....

-Solamente quiero un trago.

Geralsina bebió ansiosa y devolvió el cubilete de vidrio.

-Tu hermano Siboney se fue a São Paulo.

-¿Qué busca allí? ¿Por qué se fue?... No le gustan las grandes ciudades.

-Los chinos le vinieron a cobrar un deuda de juego, mil reales. Muchísimo para nosotros. Le dijeron que si no pagaba le cortarían los dedos de los pies. Se asustó y se fue.

-Hizo bien. São Paulo es muy grande. No lo encontrarán allí. Además, puede conseguir trabajo, de cualquier cosa. Espero que haya aprendido la lección, que deje el juego. Porque a las mujeres no las va a dejar nunca. Es un mujeriego, un gallina.

-Los chinos vinieron y no lo encontraron. Se enojaron mucho..., me quisieron cobrar la deuda.

-¿A ti, mamá? ¿Y entonces?...

-Les dije que no tenía con qué pagarles. "Si no lo hace le quemaremos la casa", dijeron.

-Por lo visto todavía no lo han hecho -comentó Geralsina mientras tomaba de su petaca de plata maciza un pequeño cigarro cubano.

-No pudieron. Les dije: "Esperen, voy adentro. Miro si tengo algo para darles".

-"Vaya, pero apúrese. No vinimos a perder el tiempo".

-Me metí en la casa, busqué la escopeta de tu padre, está vieja y oxidada pero sirve. La cargué y salí. "¿Qué hace, vieja, con esa escopeta?, ¿para qué la trae?" Para cagarlos a tiros, les dije y disparé al aire. Los tres chinos montaron en sus motos y se fueron. Hasta ahora no han vuelto.

-¡Muy bien, mamá! ¡Muy bien! ¡Así se hace!

-Sí, pero, ¿si no puedo defenderme, de nuevo? ¿Si me queman la casa?

-¿Qué te importa? Es una verdadera pocilga.

-¡Es mi casa! Geralsina, tú eres rica, ¿podrías prestarnos el dinero?

-¿Pero..., cómo se te ocurre mamá? Mi plata me la gano yo..., y me cuesta mucho hacerlo... ¡Ni loca! Además, esta casa de porquería no vale ni quinientos reales... Si quieres la quemo yo. De esa forma lo chinos no podrán asustarte....

La vieja miró desconcertada a Geralsina. ¿Se burlaba de ella? No conocía una Mae Senhora tan desaprensiva. Las costumbres cambiaron, especialmente para quienes como ella dejaron el campo por extrema necesidad, para instalarse en las zonas más periféricas y humildes de las ciudades. También los ritos cambiaron. Muchos tabúes y prohibiciones perdieron su antiguo significado y las estrictas reglas de purificación que precedían a la ceremonia de los muertos apenas se observaban. No comprendía este nuevo estilo de vida que no era el suyo, pertenecía a otra generación más ligada al corazón africano, a sus encantamientos y liturgias extendidas a lo largo de las playas bañadas por el mar y entre las palmeras y los cocoteros.

La mujer percibía todo esto de un modo confuso y desorganizado, intuitivamente, como si los ancestros que vivían en su sangre se negaran a dejar esas costumbres rechazando cambios en los que se anunciaba un mundo sin dioses.

-¿Y Marilia? ¿Dónde está?

-Tu hermana está *trocando días*. Devolviendo con trabajo un servicio que le hicieron: trámites en el municipio.

-Cosí un vestido para el santito. Te gustará.

-Dame más limonada, mamá. ¡Cuánto calor! -exclamó Geralsina abanicándose con una mano.

Esta noche debería descansar, dormir bien para desempeñar correctamente su papel de Sacerdotisa Reina. No pondría bajo sospecha el prestigio que la llenaba de orgullo y de dinero. Pasado mañana debería regresar a Ciudad del Este. El Emisario la necesitaba. Gozaba con los trabajos que le encargaba, particularmente los sexuales, en los que conseguía liberar el resentimiento acumulado.

Su sentido práctico de la vida, muy desarrollado, le permitía evadir sin escrúpulos las reglas de purificación y la medicina ritual. Suplantaría el té de hojas de adormidera por un somnífero, un producto de la moderna farmacopea industrial. Recitaba:

San Benedito
es el santo de mi negrito,
bebe el agua de la vida
y ronca cuando duerme.

-¿Todavía recuerdas esa canción?

-Me la cantabas cuando era niña.

-Mi madre también me la cantaba.

-¿Mi abuela? Qué pena. No llegué a conocerla.

-Ella también fue Mae Senhora.

11

Agotados por el largo viaje hicieron noche en Posadas. La Nodriza no hubiera puesto objeción en compartir la habitación con Ramiro y se lo propuso: "que cada uno huela su propia mierda", replicó Ramiro.

A la mañana siguiente, después del desayuno, partieron hacia Puerto Iguazú. Ingresaron a la ciudad y se instalaron en un residencial muy limpio y confortable sobre la avenida Tres Fronteras.

-Me parece que lo primero es visitar a Chushak.

-¿Quién es? –quiso saber Ramiro.

-Es un tipo del Servicio. Algunos muchachos dicen que es doble agente: del SIDE y del MOSSAD. No sería extraño que haga tareas para la CIA.

-¿Puede ayudarnos?

-Si no puede él, nadie puede. Está al tanto de todo lo que pasa en las tres ciudades. Es experto en electrónica. Le encanta instalar micrófonos por todos lados. Es capaz de escuchar las conversaciones entre Dios Padre y Dios Hijo.

-¿Dónde lo encontramos?

-En el Viejo Hotel. Administra un café para turistas. El hotel de estilo inglés no recibe pasajeros. En algunos de sus salones se exponen artesanías. El tipo es todo un artista, pinta cuadros y lo hace muy bien.

-Eso queda en las cataratas, ¿no es cierto?

-Sí. No las conozco. Aprovechamos la oportunidad y nos damos un paseíto.

-Dicen que los saltos son de una belleza increíble. Pero, ¿no es desperdiciar el tiempo? No vinimos a entretenernos con el paisaje.

-No importa. Vivimos una sola vez. Quiero conocer las cataratas. Mire, tengo este mapita. No nos llevará más de cuatro horas. Tomamos el pequeño tren en esta estación y llegamos a la otra, la de la "Garganta del Diablo". El salto más grande -dijo La Nodriza indicando con el dedo índice un punto en el mapa.

"La Nodriza me trata nuevamente de usted. ¡Qué tipo extraño!", pensó Ramiro.

-Vinimos como espías y terminamos como turistas... -dijo.

-Seremos turistas sólo por cuatro horas.

Caminaron hacia el Peugeot. Ramiro tuvo una vaga sensación de molestia, ¿era observado? ¿Los habrían detectado tan rápidamente? Prefirió no hacer comentarios y se instaló frente al volante. Encendió el motor y puso la primera. El coche se desplazó suavemente como un lagarto perezoso, tomaron la avenida Aguirre dirigiéndose hacia la ruta.

Como muchos homosexuales, Chushak cultivaba una pulcritud excesiva, una elegancia displicente y atrevida y el gusto por los chismes. Muy talentoso como pintor, imitaba los colores y pinceladas de los más cotizados artistas impresionistas. Su habilidad y destreza lo introdujo en el negocio de la falsificación. Varios productos de su autoría fueron vendidos como originales a coleccionistas japoneses y norteamericanos por buen dinero. Se negaba a copiar o "producir" obras de Van Gogh por temor a que el impulso creativo le hiciera perder el control de sí mismo e identificarse con el maestro hasta el extremo de imitarlo cortándose él también una oreja.

Su actividad principal fue siempre el espionaje, político primero e industrial después. Se comentaba que sus emprendimientos concluían en triunfos resonantes. La Nodriza tenía estos logros muy presentes y esperaba aprovechar las cualidades del pintor espía. Por esta razón evaluaba su perfil y aptitudes mientras viajaban hacia las cataratas.

Un escándalo artístico y político, conjuntamente con la caída del muro de Berlín y la desarticulación de la STASSI, la Policía Secreta de la República Democrática Alemana, impulsaron a Chushak a dejar la "vieja y querida Europa", como le agradaba calificar al continente, para recalar en las tres fronteras

Amaba el esplendor de los cuerpos jóvenes que exploraba con ardiente expectación y contenidos sollozos. La angustia amorosa lo acongojaba porque le abría las puertas de la percepción a la fragilidad de la existencia. Solía derrumbarse al tomar conciencia del contraste entre la levedad y la delicadeza de todo lo bello y su inefable realidad en este mundo sórdido y brutal en el que los hombres se enfrentaban impiadosamente para la consecución de fines siniestros. Con el propósito de evadirse recurría al hashish, o a su paleta de pintor, también se dejaba caer en el arrobo amoroso de un erotismo desenfrenado y sinuoso. Encontraba así la fuerza para sobrevivir, para "seguir siendo" como le gustaba decir.

Lucía el título de "Ingeniero Electrónico" que había obtenido con excelente promedio de notas. Se decía que su equipo había instalado micrófonos por todos los rincones de la embajada china en Praga. Consiguió así información de primera calidad sobre las luchas de fracciones y subfracciones, grupos y grupúsculos enfrentados en la lucha por el poder en todos sus dominios y niveles. También, y esto le encantaba despertando su ingeniosa mordacidad erótica, logró datos acerca de los gustos sexuales de la embajadora a la que denominaba La Adúltera quien, según él, utilizaba los palillos de comer con una fantasía morbosa, exaltada y caprichosa capaz de arrancar quejidos de placer y de dolor. Obviamente, el sadomasoquismo no era patrimonio exclusivo de la civilización occidental. La antigua China, el ombligo del mundo, como se autodesignaba, poseía una tradición milenaria, muy sofisticada al respecto.

Chushak le debía y esperaba cobrar con información de primera mano. Su intervención fue decisiva al momento de salvar la vida de una de sus sobrinas detenida en un campo de concentración de la última dictadura militar argentina.

La vegetación se hacía más frondosa y verde a medida que se acercaban por la ruta 12 a las cataratas. O al menos así lo consideraba Ramiro. El ingreso al Parque Nacional ya estaba a la vista. Ramiro conducía serenamente, muy concentrado, encerrado en sí mismo con una obstinación inimitable.

12

Preocupado, Carlos pedaleaba montado en su bicicleta blanca de media carrera. La había adquirido para hacer ejercicios y reducir el sedentarismo que comenzaba a exhibirse en los pliegues de grasa acumulada alrededor de la cintura. Se desplazaba por el Parque Urquiza, ubicado en el barrio Martain. La zona parquizada rodeaba el casco de una vieja estación de tren remodelada como escuela de gimnasia. La visitaban personas de toda edad. Jubilados que hablaban de sus desventuras y jugaban a las bochas, niños que correteaban con sus perritos, pateaban hacia los padres una pelota de goma, andaban en bicicleta o fastidiaban a sus madres que descansaban en reposeras de lonas traídas desde el hogar, tomaban mate con facturas o conversaban con las amigas.

Gente vestida con buzos y shorts gimnásticos trotaban, marchaban rápidamente o caminaban por el circuito asfaltado que lo circundaba. Ciclistas, motociclistas y automovilistas proclamaban su *relax* en el pausado, lento y displicente andar casi sobre la costa del río en la ensanchada barranca.

"¿Por qué no me llamó Ramiro?" Esa pregunta lo carcomía, excitaba sus nervios y se traducía en un malestar de las entrañas.

Su teléfono celular no respondía, lo tenía apagado. ¿Por qué? Necesitaba calmarse, "hace dos días que partieron, no es mucho tiempo". Tuvo la sensación de que le costaba mantener el equilibrio, que para hacerlo debía concentrar en un punto del cerebro toda su atención y que gastaba demasiada energía haciéndolo.

"¡Qué extraño es el organismo humano!" La coordinación entre el sistema nervioso y los órganos motrices impulsando los pedales, la energía convertida en acción, los tejidos musculares en una única tensión estabilizadora distribuyendo armónicamente el peso del cuerpo sobre el cuadrante de la bicicleta..., tenía la sensación de percibir la regulación sensorio motriz entre su aparato digestivo, la respiración, sus secreciones internas y el impulso de la sangre transmitiéndole la potencia imprescindible para la locomoción. "El movimiento es vida", pensó.

¿Habrían tenido algún inconveniente en el viaje? ¿Cómo haría Ramiro para soportar durante tanto tiempo la presencia de La Nodriza? ¿Su segura doblez, su probable traición?

Carlos se dirigió hacia la avenida Libertad. Sin darse cuenta llegó al edificio de departamentos habitado por Adrián, su viejo amigo. El sentimental y tierno amante de *Il Botticello*, el marinero alegre y apasionado que, como la Venus del pintor renacentista con la que se identificaba, nació del mar. Rescatado de un naufragio, desapareció para siempre, en su plena juventud, en los días de "El Rosariazo", aquel estallido social del año 1969 en el que los rosarinos se levantaron contra la dictadura de Onganía.

13

El Conejo subió peldaño tras peldaño la escalerita que lo transportó a la callejuela escasamente iluminada. Dejó atrás el sórdido cafetín, saturado de humo de cigarrillos y del vaho denso de los platos calientes recargados de grasa, del fétido aliento de los parroquianos y del sudor de los cuerpos aglomerados.

El Sirio consiguió los explosivos y por lo tanto El Proyecto proseguiría su marcha. Se propuso contribuir a este resultado y lo logró. Fue discreto, preciso y convincente; fue exitoso. Eso debiera llenarlo de alegría o al menos de profunda satisfacción. Y no sucedía así. Cierta desazón lo embargaba y un presentimiento de infortunio, de que algo muy desagradable se le vendría encima se apoderó de él. Hurgó en los bolsillos de su chaqueta de fino hilo blanco y extrajo un paquetito de caramelos mentolados. Era adicto a los caramelos, sobre todo a los de menta. Consumía tres o cuatro paquetitos al día. Posiblemente por ello engordaba tanto y debía consultar constantemente al dentista por sus dientes cariados.

"La muerte de un hombre siempre es algo trágico", se dijo y en las actuales circunstancias políticas podría desencadenar sucesos incontrolables. Sin embargo, lo menos que necesitaba era dejarse apresar por remordimientos. Había actos de urgente realización si uno no quería convertirse en chatarra. Actos de supervivencia. Necesidades de fuerza mayor que debían satisfacerse pronto y eficazmente. "La eficacia es muy importante en el mundo moderno. Se puede tolerar la inmoralidad, la hipocresía y aun la más pura cobardía. Pero no la ineficacia." Y él supo ser extremadamente eficaz, hasta podría decirse que exquisitamente eficaz. Debía sentirse satisfecho y, a pesar de ello, no lo estaba.

"Quien persevera triunfa", todo el mundo sabía eso. Es decir..., nadie lo ponía en duda y el triunfo daba lugar a la plenitud de los sentidos, a esa exaltación del ánimo que se llamaba alegría. No obstante, percibía otra cosa muy distinta. No tristeza, no. No era lo opuesto a la alegría lo que contenía su gestualidad e impedía la sonrisa socarrona a flor de labios, sino una intuición de malos presagios, de futuro fracaso. Recordó una vivencia similar ante un hecho acontecido en el pasado. Su esposa conducía el automóvil por la ruta Panamericana. Viajaba de Rosario hacia Buenos Aires. De improviso estalló una terrible tormenta huracanada, el viento y la lluvia azotaban todo lo que encontraban a su paso. Un camión con acoplado se desvió sobre la mano contraria, el automóvil que su mujer manejaba se estrelló contra el enorme vehículo y ella se murió. En ese preciso instante, despertó en su lecho y tuvo la visión de lo acontecido. Aliviado pensó que se trataba de una pesadilla. Dos horas después sonó el teléfono para comunicarle la desgracia. Un sentimiento de estupor y extrañeza se apoderó de su ser. Algo parecido sentía ahora, menos estupor tal vez, pero igual extrañeza; la carencia de una explicación al respecto lo fastidiaba.

14

Geralsina bebía la *caipiriña* mientras su madre y dos negras jovencitas la ayudaban a vestirse. En el rostro, cubierto de afeites, resaltaba la fulgencia de sus ojos protegidos tras unas largas pestañas flexibles. De su cuello pendía un largo collar de caracoles.

Una de las niñas acomodaba varios panecillos dentro de una canasta adornada con flores. La otra le alcanzaba el vestido blanco de sacerdotisa reina.

-Escucha, los tambores están llamando –advirtió la madre.

Geralsina sabía que mucho del encantamiento, del hechizo y del trance hipnótico dependía de ella. Era la principal figura en la ceremonia. El ritual se centraba en su presencia y comportamiento. Debía actuar como una diva caprichosa y seductora. Su arte necesitaba impacientar, inquietar y exacerbar. El trance colectivo se produciría en el momento exacto, cuando por su mediación todas las presencias se fusionaran en una.

Su imaginación regía los ritmos de la ceremonia, indicaba con sus movimientos y actitudes los diversos momentos del pasaje de un mundo a otro. Los engalanaba y enaltecía marcando los grados de intensidad emocional que correspondía a cada uno de ellos.

Su personalidad se jugaba por entero, estimulando la percepción subliminal de los asistentes en los que resonaban como un eco los estados emocionales de la sacerdotisa.

La imagen de su belleza era parte del juego mágico y de la tácita complicidad establecida entre ella y el público.

Todo el secreto residía en su sugestión, en su destreza para producir una seducción hipnótica y alucinaciones capaces de arrebatar el espíritu de la concurrencia, arrastrándolo por los diversos senderos del rito según su caprichosa y única voluntad.

Vital, muy consciente de su poder, enamorada de sí misma, la Sacerdotisa Reina salió al encuentro de los tambores.

15

Habían acomodado el automóvil en la playa de estacionamiento del mirador, subido a la torre y observado la impresionante belleza del paisaje tropical. La exuberante vegetación de la selva y los imponentes saltos de agua.

La Nodriza se deslumbró, el panorama le parecía muy hermoso. Nunca había experimentado una sensación de tanta pujanza vital, se sentía irradiado por la naturaleza y, por primera vez en su vida, un vago sentimiento de culpa, de presencia de la divinidad y del misterio, se apoderó de él.

Ramiro también se conmovió, pero no de la misma manera ni del mismo modo. Sintió la plenitud de la vida ofreciéndosele sin regateos, la percibió en los poros de su piel y en cada una de sus células nerviosas.

Habían descendido de la torre y caminado por las plataformas de madera bajo el follaje de los árboles, el chillido de monos y el piar de pájaros ocultos, contemplado el salto Bossetti, el Bernabé Méndez y el Mbiguá y, desde allí, la escarpada isla San Martín. Las aguas caían desde gran altura hacia la profundidad, estallando con un ronquido ensordecedor; estaban ante la evidencia de lo *sagrado*, de un poder capaz de reducir la imagen humana a un fetiche. Habían tomado el tren de la selva para acceder, entre la frondosidad y lo umbroso, a la "Garganta del Diablo", el salto gigante, la gran catarata que albergaba y ocultaba al mismo tiempo la esencia misma de lo sobrenatural. Y ahora, ya de regreso, bajaban del tren en la Estación Cataratas y se dirigían caminando en silencio hacia el Viejo Hotel.

Al frente del edificio, un jardín atestado de mesas con sombrillas multicolores, camareros sirviendo gaseosas, helados, cafés a gentes fatigadas por el calor creciente y las caminatas.

Ramiro y La Nodriza los miraron indiferentes, sin reparar en ellos. Ingresaron a la sala bar recibiendo con gratitud la ráfaga de aire fresco del ambiente climatizado; solamente dos mesas estaban ocupadas. Les pareció extraño que los turistas prefirieran descansar en el jardín exterior y no en el salón refrigerado.

Preguntaron al barman por Chusak. El hombre los examinó con curiosidad. De entre las botellas de vodkas extrajo un teléfono, marcó un número.

-Dígale que lo busca Lalo, el amigo de su sobrina -pidió La Nodriza.

-Señor Chusak..., lo busca un señor mayor. Dice que es amigo de su sobrina, ¿su nombre? Lalo..., lo acompaña un señor de unos cincuenta años..., bueno... muy bien...

Y volviéndose hacia ellos les comunicó:

-Por ahí. Pasen por aquella puerta, la que dice "Privado"...

Sentado ante un servicio de té de porcelana, un hombre de tamaño mediano, rollizo, vestido con camisa blanca de mangas cortas, cinturón, pantalón y zoquetes del mismo color, pañuelo rojo al cuello, bebía de una taza celeste. Llevaba un peluquín pelirrojo, un reloj pulsera *Rólex*, de oro, y un anillo de sello también de oro en el dedo meñique de la mano izquierda.

-¡No has cambiado nada! -exclamó sorprendido La Nodriza.

-¡¿Cómo están?! Los hombres no cambian, querido. Tan sólo persisten en su propio desgaste.

-Te presento a Ramiro, es periodista y de mi extrema confianza.

-Mucho gusto.

-Encantado -dijo Chusak. Su voz sonora tenía tonalidad armoniosa y expresaba cordialidad.

-Tomen asiento, ¿qué beben?, lo que quieran -ofreció Chusak, abriendo las puertas de un mueble de caoba, una heladera. Tengo vino blanco, vodka, ginebra, jugo de naranja y por supuesto hielo, mucho hielo y muy frío... -añadió Chusak acariciando el lóbulo de su oreja izquierda.

-Si no le molesta tomaré un gin tonic -dijo Ramiro.

-Yo prefiero un jugo de naranja con un chorrito de vodka y mucho hielo -aseguró La Nodriza.

-Muy bien.

-¿Cómo anda el negocio? -preguntó La Nodriza mientras cerraba la cremallera de la bragueta de su pantalón, que descubrió abierta.

-¿Cuál de ellos?

-¿Seguís pintando?

-Ése es un vicio que no se olvida.

-¿Esos cuadros son suyos? -interrogó Ramiro refiriéndose a una prolija acuarela de la fachada del Viejo Hotel y a dos buenas pinturas al óleo que mostraban los saltos de agua de las cataratas.

-No, no exhibo mis pinturas. Éstas me las regaló un muchacho muy bonito al que le estoy enseñando a pintar. Tiene talento para eso y para entretener a un viejo caprichoso y cascarrabias como yo -explicó al mismo tiempo que colocaba hielo en las bebidas-. Aquí tienen -agregó.

Ramiro y La Nodriza agradecieron. Ramiro sentía cierta perplejidad. No llegaba a comprender del todo la amplitud y riqueza de registro del talento de Chusak, artista y espía. El ejercicio de estas cualidades tan diferentes y opuestas, en apariencia al menos, le parecía una gran contradicción. Aceptaba que tal idea podía derivar de un prejuicio, muy encarnado en él seguramente puesto que en el fondo no estaba convencido de que la posesión de tales facultades fuera posible.

-Tengo entendido que su arte abarca una muy amplia gama de lo existente...

-¿Sí? ¿Lalo le ha dicho eso? Mire, el arte y el espíritu técnico van juntos... La diferencia entre el artista y el artesano, entre la producción de belleza y la producción de utensilios y demás objetos útiles es falaz. Fíjese en los artistas del renacimiento, en un Miguel Ángel o en un Leonardo Da Vinci. ¿Quiénes eran? Antes que nada hombres de oficio. Sabían hacer, ¿y qué sabían hacer? De todo, resultaron exquisitos pintores y escultores, competentes arquitectos e ingenieros. Yo me considero uno de ellos... ¡Por supuesto! No soy tan presuntuoso como para compararme con esos maestros, quiero decir que tengo un espíritu renacentista... Soy un romántico práctico, amo la pintura y, como a los maestros, me conmueve la belleza adolescente de los efebos en flor. Adoro la intriga política que vigoriza las células de nuestros cerebros irrigándolas con adrenalina y me seduce espiar a los demás. El conocimiento de los otros permite construir una escala comparativa extremadamente útil si nos atrevemos a analizarnos y medirnos con relación a ellos.

-Además de artista y técnico es usted un filósofo. Tiene muy bien sistematizada su visión de la experiencia humana.

-Eso trato, querido...

-El Emisario se encuentra en Ciudad del Este. ¿Estás al tanto? -preguntó La Nodriza después de beber un sorbo de su trago.

-¿Debo estarlo?

-No me vengas con que se trata de información clasificada. Para mí eso no va...

-¡Cuánto humo tenés, viejo! ¡Cuántas pretensiones!

-Aunque yo no formo parte del grupo de tareas que oficialmente se ocupa del tema, entre compañeros de trabajo no nos haremos los giles, ¿no?

-¡¿Cómo que no?! Siempre lo hacemos..., el reglamento...

-¡El reglamento un carajo! ¡No entre nosotros! -se indignó La Nodriza.

-Bueno..., no es que me preocupe mucho el reglamento, pero... ¿qué gano yo con esto?

-¡Mil dólares! -exclamó Ramiro dejando caer un fajo de billetes verdes sobre una mesa ratona.

-¿Tan poco?

-Es mejor que nada, podemos buscar otros medios para conseguir la información que necesitamos... -agregó La Nodriza.

-Tal vez, pero nunca será tan buena como la mía. Le llené la habitación del hotel con micro micrófonos. Le puse varios en el retrete. Puedo escuchar al Emisario hasta cuando caga..., y cómo goza cuando se hace azotar por la mulata.

-¿Por Geralsina?

-Así que Ramiro conoce a la bruja.

-No, solamente de mentas, supuse que la mulata era ella.

-Supusiste bien, acepto los mil dólares... Total, ya el Señor Cinco, el Presidente y el Oponente están al tanto de lo que trama el grupo del Emisario..., ¿y saben qué? Éste sabe que se sabe pero no le importa.

-¡¿Cómo es eso?! -saltó Ramiro.

-No les importa porque la información es casi inútil si no se tiene el día y la hora exacta en que se producirá el atentado.

-¿Y entonces por qué no los arrestan?

-Primero, todavía no se conoce a todo el grupo, segundo, no están en el país y no es tan fácil arreglar eso con los paraguayos, contando solamente con una prueba jurídicamente endeble, como lo son las cintas grabadas, y además...

-¿Además, qué?

-No aparece en las grabaciones, pero sospecho que pretenderán responsabilizar del magnicidio al terrorismo internacional... No intentarán una ejecución con armas cortas ni usarán la puntería a distancia de un francotirador sino explosivos. Emplearán un coche bomba.

-Van a hacer un desastre. Habrá muertos por todos lados -comentó La Nodriza.

-¡Qué barbaridad!

-Sí, Ramiro, son unos bárbaros, como la mayoría de los hombres -sentenció Chusak.

16

Sentados sobre el suelo terroso los asistentes formaban un círculo; faroles a kerosene distribuidos uno por cada tres o cuatro personas iluminaban la escena desflecando la oscuridad cerrada de la noche. Los tambores sonaban en un batir velado y lento anunciando quedamente la inminencia del ritual. Se interrumpían durante un corto intervalo para volver a transformar la quietud en un suave lamento lastimero.

Se oyeron risas nerviosas y atropelladas de niños prontamente acalladas. Paulatinamente los tambores cambian de ritmo y de sonoridad. Ambos se intensifican, el ritmo es ahora más acelerado y la sonoridad más compacta y aguda. La estatuilla de un San Benedito de madera vestido con un tejido color marrón vigilaba el ceremonial desde el pie de una palmera. La gente depositaba allí sus ofrendas a los ancestros: flores, panecillos, frutas, dulces, aguardiente de caña, hortalizas y verduras.

Una figura totalmente cubierta de pies a cabeza con una sábana blanca aparece dentro del círculo. Lleva un bastón de madera que revolea sobre la cabeza. Avanza con pequeños saltitos y gira sobre sí misma, ¿hombre o mujer? Se detiene en la mitad del círculo y traza una raya en la tierra con el bastón. Los iniciados entienden que ha dividido el mundo en dos: el de los vivos y el de los muertos.

Desde las sombras surgen dos hombres desnudos, ocultan sus partes inferiores con pequeños taparrabos. Parecen esqueletos, las caras son dos calaveras y los brazos, las piernas y la pelvis relucen como si estuvieran cubiertos de pintura fosforescente. Tiran de una cuerda arrastrando un carnero. El animal marcha con dificultad, como drogado o borracho. Halan la cuerda que enlaza el cuello del animal acarreándolo con esfuerzo a la zona de los muertos.

El público observa absorto, como fascinado, en silencio. Solamente se escucha en ritmo acelerado el *tam tam* de los tambores.

Los esqueletos liberan al carnero y danzan a su alrededor, lo saltan, tiran de su cola y de sus cuernos. El animal permanece inmóvil, petrificado.

De pronto cesa el batir de los parches. Un alarido desgarrado, agudo, horada la noche. Es un grito espectral, de ultratumba, se prolonga sin fin. Penetra todos los oídos, se instala en ellos durante instantes que parecen eternos. Es la voz del espanto que muestra su existencia.

La gente se descontrola, se pone de rodillas o cae al suelo, exclama, se lamenta, llora y se retuerce. Han entrado en trance.

El alarido se contrae y desaparece. No así las convulsiones de la gente. Es el fantasma vestido de blanco quien ha gritado, extrae de sus ropas un cuchillo delgado y fino como una daga que clava en la yugular del carnero. Éste tiembla y cae de rodillas, ni un balido sale de su garganta, la sangre brota a chorros. Alguien ha depositado un cuenco de madera a su lado. La silueta espectral lo toma para recoger el flujo caliente que mancha su túnica. Completa su tarea y se lo entrega a los esqueletos mientras el carnero se desmorona sobre la tierra humedecida por su propia sangre para concluir su muerte.

Otra vez el *tam tam* de los tambores suena con frenesí. Los esqueletos dejan el dominio de los muertos traspasando la raya quc scpara los dos mundos opuestos para rondar el círculo de gente convulsa. Meten sus manos en el cuenco salpicando al público con la sangre. La vida y la muerte se entremezclan, se hacen una.

Estalla de nuevo el alarido-aullido, un sonido que no es de este mundo. De inmediato los tambores dejan de repiquetear y la gente termina con sus contorsiones y quejidos.

Entonces el grito cesa y la figura de blanco se desviste. Caen la capucha y la túnica ensangrentada. La sacerdotisa reina, Geralsina, muestra el esplendor de su belleza. El pecho agitado, lo ojos llameantes y un brillo de soberbia orgullosa en su mirada. Luce un turbante color rosa y un vestido muy estrecho enteramente cubierto por diminutos espejos que refractan la penumbra.

Es el momento en que desaparecen los esqueletos y se muestran tres, cuatro, seis figuras cubiertas con túnicas y capuchas de diferentes colores. Atadas a la cintura por medio de una cuerda llevan varias tablillas de madera con los colores del arco iris.

"¡Los antepasados! ¡Los antepasados!", exclama la gente. "¡Preguntémosle a los muertos, ellos conocen todos los secretos!", gritan otros.

Los encapuchados hacen cabriolas grotescas, como si hubieran perdido la costumbre de moverse y desplazarse.

El público los interroga. Preguntan si tienen frío, si pasan hambre, si se aburren. Las mujeres quieren saber cuántos hijos van a parir. Los hombres si ganarán dinero o tendrán suerte en el juego. Los niños miran desconcertados, se ríen o corretean. Algunos también hacen preguntas: ¿les continuarán pegando el padre, y la madre, dejándolos sin comer cuando desobedezcan sus órdenes? Pero los antepasados no responden. Se quejan, dicen que ellos los han abandonado. Que no se interesan por el destino de los muertos y que todos merecen morirse porque las vidas que llevan no valen los penares de este mundo.

Pasado un tiempo los tambores resuenan nuevamente. Geralsina transporta una jarra de barro, con su turbante rosa, su vestido espejado y su dignidad africana. Ella es la sacerdotisa reina, La Mae Senhora, y como tal descarga gotas de agua de la jarra sobre su mano y rocía con ella a todo el mundo. Al público y a los ancestros. Los purifica con el agua sagrada del *bara órun*, del alma de los muertos.

Una a una las figuras de los antepasados desaparece entre las sombras, la ansiedad y el entusiasmo de la gente se va calmando. Y Geralsina, guardiana de los muertos, sonríe satisfecha una vez más.

17

¡Hay micrófonos por todos lados!, en el teléfono, en la cabecera de la cama, en la frutera, en el armario, en el botiquín del baño, bajo el tanque del inodoro..., ¡por todos lados! -exclamó El Conejo frotándose la epidermis rosada de su frente.

-Esto es obra del checoslovaco, ¡me juego la cabeza!

El Emisario se encontraba visiblemente molesto, el labio inferior apresado entre los dientes. Indignado, su rostro enrojecía a causa de la sangre acumulada en las mejillas.

-El hijo de puta escuchó todo. Hasta ha grabado tus sueños.

-¡Es repugnante!

El Conejo corroboró su opinión asintiendo con un movimiento de cabeza. A veces, como en la presente circunstancia, cuando se ponía nervioso y tenso, El Emisario tenía fuertes ardores de estómago. De ahí la fea expresión del rostro, su mala cara.

Los dos hombres mantenían la conversación mientras caminaban por el amplio jardín del hotel. Un jardín de película hollywoodense, prolijo, tropical y exuberante.

-Haremos la reunión en otro lugar.

-El militar y el catolicón llegaron hoy. Por la tarde lo hacen el banquero y el abogado. Mañana a primera hora arribará el resto.

-Disponemos del garaje. Nos reuniremos allá. Por suerte mi cuarto se encuentra limpio. Dejaremos los micrófonos instalados, de ese modo no sabrá que lo descubrimos y conseguiremos desinformarlo pasándole falsas noticias.

-De cualquier manera ya nos jodió. Ha averiguado demasiado y no contamos con el tiempo necesario para elaborar otro plan.

-El pintor espía nos embromó, aunque no enteramente. Pasó información pero conserva las cintas grabadas en su poder. Si nos adueñamos de ellas carecerá de pruebas.

-Es cierto.

-Además, es nuestra la decisión de alterar el aquí y el ahora, el lugar y el momento en los que montaremos la operación. Por lo tanto mantenemos la iniciativa.

-Que Chiquito obtenga las cintas y se encargue del checoslovaco.

-Muy bien -dijo sonriendo El Conejo.

18

Adrián apagó el televisor. Como resultaba habitual, los anuncios sobre robos, secuestros *express*, asesinatos de policías y de ladrones adolescentes muertos por la fuerza de seguridad, manifestaciones de protesta, sobre todo piqueteras, y corrupción política colmaban los noticieros y agotaban la paciencia del público. La incertidumbre perpetua marcaba la cotidianidad del país. "¿Habrá segunda vuelta electoral?", se cuestionaba Adrián. El Caudillo amenazaba con retirarse, ¿lo haría? Si esto sucedía, ¿cuánta legitimidad tendría el nuevo gobierno? Había recibido un exiguo porcentaje de votos; si El Oponente accedía al poder en esas condiciones..., ¿qué sucedería?..., ¿estaría desgastado, muy debilitado ya antes de asumir?

Sonó la chicharra del portero eléctrico, se escuchaba desde cualquier habitación del departamento.

-¿Sí?..., ¿quién es?

-Soy yo..., Carlos...

-¡Qué alegría! Subí..., subí...

Adrián oyó el ruido de la puerta de calle abriendo y cerrándose. Era bueno recibir visitas, lo sacaban de su aislamiento y de esa soledad en la que poco a poco se dejaba hundir. Además, se trataba de Carlos, su amigo. Siempre la pasaba bien en su compañía, la última amistad que le quedaba de su niñez. Imágenes de su remoto pasado colmaron su mente, se desplegaban como recuerdos acumulados que veía transcurrir ante sí avivando sentimientos de extrañeza y de nostalgia. Llegó hasta el escritorio Santa Ana y tomó el reloj de bolsillo que perteneció a su abuelo, una pieza de plata cincelada cuidadosamente y con exquisito gusto.

Supo que su amigo estaba del otro lado de la puerta y adelantándosele, la abrió.

-¡Hola, muchacho!

-¿Qué tal? Estoy con la bicicleta, ¿la puedo dejar en el *palier*?

-Sí, claro. Nadie la tocará allí.

Carlos acomodó la bicicleta apoyándola en una de las paredes, después ingresó al departamento de su amigo. "¡Qué lindos muebles!", admiró. En cada ocasión que visitaba la casa de Adrián le asaltaba el mismo pensamiento y la misma maravillada sorpresa.

-Tenés el aire acondicionado muy bien regulado. Está muy agradable aquí.

-¿Querés tomar algo?

-Bueno, dame un poquito de ese whisky escocés que tanto me gusta.

Adrián se acercó al *dressoir* del gran espejo que cubría casi toda la pared y recogió un botellón de cristal. Colgando del cuello del artefacto, una cadena de plata sostenía una plaqueta identificatoria con el nombre de la bebida escrito en ella. Volcó el alcohol dentro de un vaso de vidrio de base muy pesada y colocó dos cubitos de hielo que tomó de una heladerita portátil.

-Tomá...

-Gracias... Andaba en bicicleta por el Parque Urquiza y por lo tanto me encontraba muy cerca de tu casa. No tenía la intención de venir pero aquí me tenés..., aunque pensándolo bien... tal vez...

-Tal vez, ¿qué?

-La conducta humana es extraña, ¿no?... Tal vez de un modo inconsciente mi verdadera intención era visitarte.

-¿De un modo inconsciente? Freud explica...

-Mucho, explica mucho. Digo esto porque, mirá... Tengo en el bolsillo del pantalón algo que pensaba regalarte. ¿Para qué traje esta pipa si mi propósito no era verte?

-A ver..., ¡qué linda! Es de barro..., no lo parece..., y estas líneas..., ¿serán de adorno o expresan algún simbolismo?

-Es un *cachimbo*, una pipa brasilera. En este caso se trata de una pipa ritual.

-¿Y para qué se usa?

-La utilizan los médicos, es decir, los *curandeiros caboclos*, quienes descienden de negros africanos, en sus ritos de curación;

algunos los llaman *doutores de raizes*. También las usan brujos y hechiceras cuando se proponen dañar.

-¿Se carga la pipa con hierbas medicinales y se las fuma?

-Se trata de curar enfermedades mediante la inhalación del humo, se pueden usar otros medios pero muchos *curanderios* prefieren recetar la pipa. Se llama *defumaçao* a esta práctica. Se maceran ciertas hierbas, se las mezcla y se las fuma. Hay una, muy tóxica, capaz de inducir alucinaciones y de matar.

-¡Como en la novela de Leo Perutz que me prestaste!

-¿*El Maestro del Juicio Final*? Algo parecido, pero la mezcla de esa receta incitaba al suicidio..., en cambio la ponzoña de la planta sagrada..., no recuerdo su nombre..., paraliza el sistema respiratorio..., te ahogás y te morís...

-¡Qué horror!

-Precisamente..., fumá solamente tabaco..., nada más..., te lo recomiendo.

-Sí, claro..., aunque después de todo el tabaco también enferma...

-Debemos darnos algunos gustos... -agregó Carlos entregando a su amigo la pipa y pensando en Ramiro.

Adrián colocó la pipa sobre la mesa ratona, contempló el rostro pensativo de Carlos, los ojos velados y el ceño fruncido.

-¿Tenés noticias de Ramiro? -preguntó.

Carlos le habló sobre el viaje emprendido por Ramiro, su propia complicidad y el papel menor que desempeñaba en la aventura. Sin embargo, él también participaba y mucho. No pudo dejar de narrarle sus temores, al fin y al cabo desde niños, eran íntimos amigos. Necesitaba contención afectiva, abrir un sendero para transitar su inquietud, disminuir su tensión psicológica. Lo acosaba la visión de la bruja de la Triple Frontera entre cuernos diabólicos y cráneos ennegrecidos, realizando hechizos de magia negra, dañando a Ramiro, envenenándolo. Percibía a Geralsina interesándose también por él, vigilando sus actos, obsesivamente, con una concentración mental extraordinaria y potente. La veía como a una mujer salvaje de los bosques, acechándolo entre las sombras, auscultando sus más innombrables secretos.

-Ramiro no me ha llamado y ha desconectado su teléfono móvil.

-No hay necesidad de preocuparse todavía -argumentó

Adrián jugando con el reloj de bolsillo de su abuelo.

-No puedo evitarlo. Estoy muy ansioso.

-Es comprensible.

19

-El Sirio nos consiguió los explosivos -dijo El Conejo mientras dejaba al camarero recoger los pocillos de café. El comedor del hotel le parecía magnífico y se encontraba muy a sus anchas en él.

-¿Y el transporte?

-¿Qué te parece un ómnibus de pasajeros? Podemos utilizar el vehículo de una empresa internacional conocida, tenemos cómo hacerlo. Si instalamos un doble fondo en la bodega el asunto está solucionado. Todo el equipo puede viajar en él por si las moscas... nosotros también... el personal de la empresa ni se enterará. De esa manera su conducta será muy normal, lo que mejorará la cobertura.

-¡Excelente idea!

-El viejo de los servicios y el periodista se han instalado en este hotel. ¡Nos creen unos boludos!

-Los vigilamos. Geralsina se ocupará del periodista. Veremos cómo se mueve el viejo.

-¿Y nuestro compañero, el remiso, cómo lo manejamos?

-Lo tengo en el bolsillo. Dejó de lado su actitud renuente, le ofrecí el Ministerio de Justicia y cedió. Si se echa atrás tenemos unos videos muy comprometedores..., en los que se lo ve en estado de éxtasis mientras Geralsina lo somete de la manera más vergonzosa... -declaró El Emisario.

-¡Quiero verlos!

-¿Interés profesional o placer?

-¡Las dos cosas!

-Humm..., te los muestro... No debemos mezclar la voluptuosidad con el trabajo, recordémoslo -apostrofó El Emisario.

20

El hotel de cinco estrellas tenía precios demasiado altos para el presupuesto de Rodrigo. Sin embargo, debían alojarse en él. Allí se hospedaba El Emisario, resultaría fácil contactarlo, no muy complicado al menos. La presencia cercana les imponía, si no un sentimiento de conquista, una sensación de euforia que alentaba el optimismo ampliando la expectativa de alcanzar el objetivo propuesto.

En La Nodriza se despertó un apetito de lujo insatisfecho y un impulso incontenible por saciarlo de inmediato. Comería y bebería bien, pondría los gastos en la cuenta de Rodrigo. Que pagara el periodista, no tenía derecho a exigirle frugalidad o prudencia. Se estaba jugando la vida en la aventura y no lo haría gratis.

Cada uno en su propio cuarto para no olerle la mierda al otro. Esto quería Rodrigo y esto le parecía muy bien.

Rodrigo pensó en telefonear a Carlos. "Lo haré mañana, cuando tenga más información que pasarle", se dijo. Algo en su interior se resistía a hacerlo, como si mantenerlo lo más apartado posible de los acontecimientos sirviera de algo, a manera de cortina protectora. Error, juicio falso, sin fundamento. Nadie tenía motivos para enterarse de que Carlos obraba como su base de apoyo. Nadie a excepción de La Nodriza, claro. Y este personaje no resultaba para nada confiable. ¿Se dejaba conducir por él? Necesitaba reflexionar más al respecto, precisaba tomar las decisiones y marcar el camino. Se percató que hasta el momento esto había sido atributo de La Nodriza, sus sugerencias habían sido buenas, el hombre tenía contactos de los que él carecía. Posiblemente había sido muy cándido, de ahora en más él determinaría la senda a seguir.

"Me gustaría redactar un relato de mis vivencias, una especie de crónica de la aventura. O mejor un diario íntimo", pensó Rodrigo. Procuraría consignar sus experiencias y expresar los sentimientos engendrados por ellas. Esa tarea ampliaría su perspicacia permitiéndole tomar decisiones fundamentadas. "¡Abajo con las falsas apariencias! ¡Abajo la ilusión! ¡Arriba el buen uso de los sentidos! ¡Viva la lucidez mental!", exclamó en voz alta.

Por suerte tenía su *notebook* consigo, una IBM 450 que había comprado de segunda mano. Estaba muy contento con ella, no necesitaba una máquina más poderosa. La desenfundó, la dispuso sobre la mesa escritorio, la abrió y la preparó.

Tomaría una rápida ducha y aguardaría la hora de la cena entretenido en la redacción del diario.

Rodrigo desempaquetó la ropa, ubicó el 38 especial dentro de una zapatilla que guardó en el estante para calzados de la mesa de luz y las camisas, calzoncillos, pantalones, campera y el conjunto formado por la chaqueta azul, corbata roja, pantalón blanco y mocasines marrones dentro del armario.

Conectó la cinta de música funcional y caminó hacia el cuarto de baño.

21

Chusak estaba radiante. Ataviado con una guayabera impecablemente blanca, comió y bebió en abundancia algunos de los manjares preparados por su cocinero chino. Sentíase desbordado por un fuerte sentimiento de gozo y placer. La vida le parecía magnífica y la suya espléndida. Su natural propensión al hedonismo desvanecía cualquier preocupación que pudiera perturbarlo y lo impulsaba a dejarse llevar por el influjo encantador que emanaba de su protegido.

-La pasamos bien juntos, ¿no, cariñito? -preguntó el joven mirándolo con ojos blandos.

-De mil maravillas Chiquito, como ángeles en el cielo.

-Sos como una niñita mimosa, todo el tiempo buscando caricias.

-Me lo demanda el cariño que siento por vos, es muy caprichoso y exigente, no puedo controlarlo, quiere convertirse en pasión, siempre...

-Tenés un temperamento ardiente, de artista...

-Sí, es la llama de la creatividad. La turbulencia de mi espíritu se transfiere a los sentidos, me apasiono...

-Estamos muy apegados el uno al otro.

-Sos una criatura sublime...

-¿En todo momento?

-En todo momento.

"Es ahora o nunca" -pensó Chiquito. "Hará lo que le pida". Consciente de su talento para el halago, de su elocuente belleza y de su ejercitada seducción, el joven se lanzó a fondo.

-Quiero realizar mi fantasía...

-¿Tu fantasía?

-Un sueño extravagante, sensual, poético y amoroso...

-¿Amoroso?

-Sí, sí... Sueño siempre el mismo sueño, que hacemos el amor bajo la luna en las cataratas.

-¡Es muy romántico tu sueño! Pero..., ¿no resulta incómodo? Digo, revolcarnos entre la tierra y las piedras, aunque lo hagamos en una colchoneta inflable para amortiguar las molestias.

-¡Qué mal corazón tenés!

-No hay tibieza en mi pasión, pero..., ¿por qué mortificarnos? Es más confortable hacerlo en mis sábanas de seda y con refrigeración.

-¡La grandiosidad y la pujanza de la naturaleza es otra cosa! Tendremos un escenario maravilloso que estimulará el deseo. Gozaremos mucho más, podemos llevar la colchoneta y las sábanas de seda, una heladerita con *champagne*..., y todo lo que necesitemos...

-Y..., ¿cuándo querés ir?

-¡Ahora!...

-¿Te parece?

-¡Por supuesto! Aprovechemos el encanto de la noche. Mirá las estrellas, brillantes, hermosas...

Chusak captó toda la fascinación del encantador muchacho, su juventud pletórica de erotismo emponzoñándole el cerebro y aceptó.

Chiquito no dudó nunca de que así lo haría. Sintió desprecio por la sometida arrogancia de Chusak, repulsión por la flojedad de su descarriada lascivia y se fastidió.

-Vení. Te arreglaré el tupé, se te ha descolocado -mintió el joven.

Chusak, entusiasmado, organizó los preparativos, al principio con alegría; sin embargo, paulatinamente perdía impulso, se desencantaba y el motivo del paseo comenzaba a parecerle bastante absurdo. ¿Confundía amor con sensualidad? Sintió una molesta contrariedad que se esforzó en ocultar. No deseaba decepcionar al muchacho, parecía feliz en su tontería. "¡Que satisfaga su ilusión!"

Chiquito buscó el *Jeep* estacionado en el garaje. Lo ubicó en la puerta del Viejo Hotel. Era medianoche, la confitería estaba cerrada, los empleados durmiendo en Posadas. Solamente ellos andaban por el hotel. Cargaron las cosas, tomaron asiento, encendieron las luces y partieron.

-¿Qué rumbo seguimos? -preguntó Chusak.

-Vamos hacia el salto San Martín. Está aislado, se escucha muy bien el ruido del agua. Podemos utilizar el mirador para instalarnos.

El *Jeep* se adentraba en la densa oscuridad. Había algo de fantasmal en su marcha. Una cierta sensación de irrealidad embargaba a Chusak, que se sentía flotar, como levitando sin duración ni tiempo.

Chiquito, en cambio, contenía con esfuerzo la ansiedad. Aborrecía el nerviosismo que ganaba terreno en su ánimo y el presente adquiría una relevante intensidad. Imposible aliviarse buscando concentración en el manejo. Necesitaba entretener a Chusak, quien parecía incómodo y muy ridículo con su mal peinada peluca pelirroja.

-Tenés carita de regañón. No seas malcriado. Traje tus sábanas de seda, las azules..., que tanto te gustan.

-Esta excursión resulta extravagante... Original sin duda, pero algo rebuscada.

-No nos arrepentiremos, verás.

-Mirá allá, un oso hormiguero..., -señaló sorprendido Chusak.

El animalito se detuvo, los observó y después, rápidamente, corrió hacia la maleza.

El clima comenzó a refrescar posiblemente debido a la proximidad de los saltos de agua.

-No nos falta mucho ya..., ¿ponemos música?

-No, le quitaremos a la noche su hechizo. El silencio está lleno de voces.

-Si afino el oído escucho a las cigarras y a las ranas.

-Y el rumor de las ramas de los árboles movidas por la brisa.

-Y ahora también el ruido del agua cayendo con fuerza.

-¡Es cierto! La voz de la naturaleza, vigorosa, espontánea.

Chusak se consternaba. El paseo le parecía un despropósito, ¿qué le sucedía a Chiquito? Su apariencia exterior, el conjunto de la expresión de su semblante denotaba inquietud, incomodidad, quizás enfado.

A su vez, Chusak percibía en su interior la repetición de un movimiento de su espíritu al que no lograba adjudicarle un nombre. Se expandía provocándole una tensión creciente, como si debiera traducir las palabras de una lengua poco conocida.

¿Por qué la ráfaga de felicidad sobre la que pensó revolotear como una hoja arrastrada por el viento no soplaba ya? ¿A qué atribuir esta desazón que lo penetraba completamente?

-Puedo ver al mirador, allá. Justo al frente.

-Sí, yo también lo veo- anunció Chusak.

El *Jeep* llegó hasta el balcón y se detuvo. Los hombres descendieron.

-Todo está muy oscuro. No hay luna.

-Se esconde entre las nubes. Es una luna recatada y tímida -dijo Chiquito.

-Puede que le demos asco. No querrá ser testigo de nuestros abrazos.

-Ni de todas las locuras que cometeremos...

-No te lo creas... Eso de hacer locuras, lo siento, pero ya no me atrae la idea de amarnos al aire libre. No descarguemos -propuso Chusak.

-¡Qué inconstante sos! ¡Qué cambiante!

-Bueno las ganas vienen y van, eso sucede... Es normal.

-Pero las tuyas corren de un extremo al otro.

-Es que desapareció esa atracción misteriosa, ese impulso de soñador...

-No sos romántico sino un libertino.

-Para qué ocultarlo, vicioso soy, pero también me dejo llevar por el embeleso del alma.

-Vení, alcanzame las copas. Yo busco la heladera. Lo menos que podemos hacer si llegamos hasta aquí es brindar por nosotros al borde de las cataratas.

Chusak tomó dos copas aflautadas de una cajita de cartón, mientras tanto Chiquito cargó la pequeña heladera depositándola después al lado de la balaustrada.

-¡Estoy contento! -mintió Chiquito-, hago realidad mi sueño -añadió exhibiendo la botella de *champagne*.

Una especie de aversión nació en Chusak, una inquietud perturbadora que lo disgustaba. Más que un escenario agradable para el amor, las cataratas le parecían un cementerio iluminado por la luna.

-¿Ves? La luna salió para nosotros. Se une a nuestro festejo -declaró Chiquito.

El estallido del gas liberado estremeció a Chusak, el corcho cayó en el vacío y el vino espumante se derramó.

-¡Cuidado! No vayas a derramar el *champagne*, es muy bueno.

-Ya está. Bebamos ahora. ¡Brindemos por nuestro amor!

-¡Salud!

-¡Salud!

Brindaron y libaron. En un arrebato Chiquito arrancó la copa de manos de Chusak y la arrojó sobre la balaustrada. Hizo lo mismo con la suya.

-Pero... ¡Qué hacés! Son copas finas..., de cristal...

-Represento mi sueño, en él tiraba las copas al agua y te besaba así, así...

Abrazó a Chusak, besó su frente, sus ojos, sus labios frenéticamente, envolviéndolo con obcecada vehemencia. Chusak estaba aturdido, perdió la referencia de sí mismo y se dejó hacer.

Chiquito desprendió el cinturón, bajó el cierre de la bragueta y de un solo empujón los calzoncillos y los pantalones.

-¡No! ¡No! -gimió Chusak.

En un lugar oscuro de su mente Chusak sintió miedo. Chiquito lo apoyó contra la balaustrada. Durante varios momentos forcejearon. Enseguida, con una precisa llave de yudo levantó el cuerpo de Chusak y lo empujó hacia el abismo.

-¡Ah!... ¡Ah!... -gritó Chusak en su viaje hacia la nada.

Chiquito miró sorprendido la despeinada peluca pelirroja de Chusak, iluminada por un rayo de luna que pendía de su mano derecha.

22

Ramiro vio a la deslumbrante mulata fijarse en él. Sintió un pinzamiento en el cuello y luego un ligero escozor. Se acodó sobre la barra de nogal del bar del hotel y solicitó un gin tonic. Por un instante pensó en Hemingway, en los excelentes cuentos del escritor, y queriendo parecerse a sus héroes estuvo a punto de pedir un Martini, bien seco. Pero él no era un personaje de don Ernesto, él era solamente él y deseaba tomar un gin tonic, por eso lo encargó.

La mulata no dejaba de mirarlo. Había demasiado desenfado en ese mirar. Los ojos relucientes e intensos concentrados en su persona examinaban su rostro, sus manos, su torso y sus piernas. Parecían penetrar en sus pensamientos.

La media sonrisa de los labios pulposos lanzando un reto, desafiándolo y despreciándolo a la vez. Como si él no estuviera a la altura de las circunstancias, como si no se atreviera con ella. La mirada escrutadora, procurando intimidar, comunicaba una fuerte carga de aviesa sensualidad.

El barman le sirvió la bebida. Ramiro la probó y devolvió la mirada a la muchacha. Los ojos se encontraron y se enfrentaron. La sonrisa de la mujer se hizo más provocativa.

Ramiro dejó el mostrador y se acercó a la mulata.

-¿Me permite?

-Si usted quiere...

-Si no la molesto me gustaría hacerle compañía.

-A mí tampoco me gusta la soledad.

-De manera que está sola...

-No. Me acompaña aquel señor que toma café en esa mesa -indicó con un movimiento de cabeza dirigido hacia El Emisario-, pero me siento sola -agregó.

-¿El señor es su marido?

-No, soy su secretaria. Trabajo para él, su firma se dedica al negocio de exportación e importación...

-Yo soy periodista, mi nombre es Ramiro.

-Mucho gusto, Ramiro. Me llamo Geralsina.

Ramiro no pudo evitar un respingo. Sin embargo, no estaba sorprendido, en lo profundo de su ser, y desde el primer momento, su inconsciente adivinó con quien trataba.

"El rostro de este hombre refleja una tristeza terrible", pensó Geralsina. Un impulso interior, inmanente e imprevisible, la conmovió de abajo hacia arriba, turbándola. Una pulsión adormecida a través de edades distintas se despertaba de un modo automático e instintivo destrabando emociones no conocidas.

Ramiro tomó asiento al lado de ese cuerpo fibroso y sensual que pareció sacudirse en un estremecimiento del alma.

-Y usted, ¿no bebe, Geralsina?

-No ahora, gracias. Es bueno el pianista, ¿no?

-Sí, toca muy bien.

-¿Visitó Itapú, la usina hidroeléctrica?

-No todavía, ¿vale la pena?

-¡Cómo no! Hasta una isla tiene.

-¿En serio?

-Por supuesto, es muy linda.

-Como usted.

-Sabía que diría eso.

-Y..., ¿por qué?

-Cuando digo que la isla es muy bonita todos los hombres me dicen lo mismo.

-¿Vio? No soy muy original. Pero al menos le he probado algo.

-¿Sí?, ¿qué?

-Que soy hombre.

-Marcó un punto -dijo Geralsina con un mohín coqueto de sus labios.

-Algo es algo.

-¿No desea marcar otro?

Ramiro la miró intrigado. Comenzaba a sentir el influjo de su hechizo, las moléculas de su cuerpo se dilataban y se contraían, ¿cómo se comportaban las facciones de su rostro?, ¿diseñaban alguna pantomima? Debía dominar su actividad cerebral, pecaba por exceso de lógica.

-Sí, quiero, pero ignoro el modo de hacerlo.

-Invitándome a bailar.

Ramiro dejó transitar su mirada por la pista de baile, estaba desierta.

-La gente no baila.

-¿Qué importancia tiene eso?

-Bueno, no sé, pero...

87

-Conmigo no hará el ridículo interrumpió Geralsina.

-Seremos el centro de todas las miradas.

-Precisamente, le agradará... ¡Anímese!

Ramiro se animó. El pianista ofrecía un bolero, tal vez de Manzanero. La música flotaba clara y melódica, incitando al relajamiento.

En un movimiento envolvente Geralsina se estrechó contra su cuerpo. Inmediatamente sintió la intoxicación venenosa de su sexualidad obnubilando su entendimiento. Los dos cuerpos vibraban al unísono, se acomodaban el uno al otro, se acompañaban morosamente al ritmo de la música que fluía, invadiéndolos.

Ramiro se dejó llevar por el arte arrebujado de la hembra en celo. Toda una serie de ignorados anhelos pujaban buscando en su piel los modos de expresión adecuados. Algo extraordinario le estaba sucediendo, algo mágico, inabarcable e incomprensible. La lengua de Geralsina deslizó su humedad por una y otra oreja, mordisqueando los lóbulos, traduciendo la pasión en deseo, en carne ardiente y encendida.

El sexo emergente de Ramiro, hinchado y turgente, se hundía en las entrañas de la mulata que buscaban el lanzazo hiriente que la penetrara.

Él sentía que el entero universo se le ofrecía y que debía aceptarlo, sumergirse en el sistema solar y perderse en el infinito.

Ella, en una tenaz contracción de su mente, perdía el uso de los sentidos, reventaba en una pasión espasmódica y contrahecha que la sacudía. Entonces estalló convulsionada en una última y maligna crispación, se deshizo de Ramiro y cayó sobre la pista de baile, contorsionada, echando espuma por la boca, víctima de un ataque de epilepsia.

23

Como miembros de una sociedad secreta, los complotados se encontraban reunidos en el garaje con el propósito de intercambiar puntos de vista, evaluar la situación, debatir si hubiera necesidad de hacerlo y tomar decisiones consensuadas.

Ocupaban la amplia oficina del piso superior. Sentados en sofás, sillones y sillas bebían cerveza y discurrían.

-La lucha por el poder es siempre encarnizada –afirmó El Emisario tras una bocanada de humo. Sostenía el puro con parsimonia y displicencia; la corbata de color amarillo refulgente concentraba las miradas.

-De acuerdo, pero la utilización de explosivos es una opción exagerada -dijo El Banquero.

-Morirán inocentes, no deseo esa carga en mi conciencia, será muy dura de soportar... –anunció el hombre de aspecto de sacristán, con voz vacilante, entrecortada.

-Podríamos efectuar una operación comando, sería más pulcro y probablemente más eficaz -propuso El Sindicalista.

-Más limpio sí, pero no necesariamente más eficaz –afirmó El Militar.

-No podemos hacer eso, lanzar una operación comando si queremos echarle la culpa a los terroristas, ellos no actúan de ese modo –sentenció El Conejo, sus ojos enrojecidos brillaban de un modo inquietante.

-No creo que se traguen la historia de la banda de terroristas –anunció El Empresario.

-Es una buena cobertura. Después del atentado contra la embajada de Israel y la AMIA se puede creer cualquier cosa –sentenció El Sacristán.

-No te lo creas, en esa época El Caudillo nos metió en el quilombo del Medio Oriente, no podemos negarlo, los actos terroristas fueron en represalia de esa decisión. Ahora las circunstancias son distintas, las cosas cambiaron, che -dijo El Militar.

-No importa lo que el Gobierno piense, después de todo los servicios de inteligencia no pueden ser tan imbéciles, tan despistados, seguramente tienen indicios sobre nuestras intenciones -dijo El Banquero.

-¿Será cierto eso? –preguntó muy preocupado El Empresario.

-Puede suceder, pero no debemos inquietarnos, che –sentenció El Conejo.

-¡¿Cómo así?! -exclamó entre sorprendido e irritado El Sacristán.

-Pueden conocer los nombres de algunos, pero no de todos nosotros. Sospechar, pero no disponer de pruebas consistentes y eso es lo que realmente importa, necesitan fundamentar nuestra responsabilidad ante la ley, che. No tienen modo de hacerlo –explicó El Emisario.

-Es cierto, en la democracia rige el Estado de Derecho, el sistema jurídico nos ampara –comentó El Militar.

-Después de todo, la democracia no es tan mala, ¿vieron? Tiene su lado bueno, ¿no? –se preguntó El Sindicalista sonriendo con picardía.

-¡Dejaremos un baño de sangre! Podríamos actuar con menos saña –propuso El Sacristán.

Nadie respondió a esta inquietud. Las palabras pronunciadas quedaron flotando en el aire sin que alguien se hiciera cargo de ellas.

-Debemos establecer un plan y atenernos paso a paso a las etapas fijadas. Necesitamos precaución y capacidad operativa sin desalentarnos por los inconvenientes que seguramente sobrevendrán –declaró El Emisario.

-Existen dos planos, el político y el táctico operativo. ¡No debemos confundirlos! –sentenció El Banquero.

-Muy cierto, tratemos aquí el lado político de la cuestión, ¿hacemos o no el atentado? -preguntó El Sindicalista.

-La respuesta es afirmativa, ¿estamos todos convencidos?

-Sí, sí, por supuesto..., –asintieron todos.

-Entonces designamos al Emisario como responsable político y jefe de la operación y, ¡listo! Nuestra tarea concluye aquí –dijo El Empresario.

-¡El jefe del operativo soy yo! –gritó El Conejo.

-Aceptado, aceptado..., –dijo El Emisario.

-¡Cuantos menos detalles sepamos, mejor! –prorrumpió El Sacristán.

-Seguro, es una consigna elemental de seguridad –explicó El Militar.

-¿Me permiten una pregunta? –quiso saber El Empresario.

-¡Por supuesto! –exclamó El Emisario, al mismo tiempo que pasaba el cigarro encendido de una mano a otra.

-¿Está en conocimiento El Caudillo de nuestro proyecto?

-Para nada –dijo El Conejo.

-¿Estamos interpretando sus deseos? –interrogó El Banquero.

-No lo sé -contestó El Emisario.

-Estoy desconcertado, yo suponía...

-¡Suponés mal! -interrumpió El Conejo.

-¿Entonces? –preguntó El Banquero.

-Defendemos nuestro negocio, cada uno el suyo. Y tal vez también el pellejo –sentenció El Empresario.

-Todos tenemos demasiado que perder. Y que dejar de ganar. El Caudillo debe llegar a la presidencia, reencontrarse con el poder. ¿Aceptaremos el presente con la boca cerrada? ¿No vamos a protestar?, ¿a oponernos? –preguntó El Emisario.

-De ninguna manera. ¡Imposible! ¡La inmovilidad está totalmente fuera de lugar! –argumentó El Militar.

-Entonces debemos actuar y sin demora, rápidamente. Ya perdimos demasiado tiempo –afirmó El Conejo.

Algunos asentían con un gesto de cabeza, en otros se notaba estupor en los ojos y cierta duda naciente.

-Cada uno de nosotros sabe a qué atenerse. ¿Nos entendemos? –interrogó El Emisario.

-Sí.

-Perfectamente.

-Sin problemas.

-Por supuesto.

-Muy bien.

El Conejo analizaba la expresión de los rostros, ¿qué le anunciaban?

24

El Emisario caminaba preocupado con el corazón oprimido, la reunión no había sido buena. Sólo dos de los cinco "representantes", además del Conejo por supuesto, se mostraban convencidos. El Militar y El Sindicalista lo estaban, comprendían con claridad la situación, su emergencia y apremio. Los otros vacilaban. El Sacristán tenía el ánimo carcomido por el miedo, poco faltó para que sollozara.

Sentía el cuerpo raro, inquieto e insomne. Necesitaba descontracturarse, aflojar los músculos, desplazarse por la noche en soledad. El cielo estrellado le hizo recordar sus correrías de niño por las noches en el campo santafesino, a veces, durante la caza de liebres, otras, marchando tras las ranas. Puro placer infantil ingenuo y cándido.

"Esos recuerdos no se corresponden con mis temores, ¿cómo puedo tenerlos?". La mente humana era en verdad extraña: se debatía de un modo permanente entre el orden y el caos.

En ocasiones su cerebro se agrietaba, lo confundía todo. El afuera y el adentro, lo cerca y lo lejos, lo que le causaba atracción con lo que le repugnaba. Los opuestos se mezclaban y se hacían uno. Exorcizaba el dolor con el placer y el placer con el dolor.

Desde la hondura del pasado emergieron recuerdos e imágenes reprimidas en algún lugar de su mente cargadas de ofuscada vehemencia.

Se vio adolescente arrastrándose como un gusano lascivo sobre el lecho del Estanciero, desnudo y tenso. Un escarabajo blindado y expuesto al exterminio. Bocabajo, gimiendo mientras se introducía en su dilatado ano el reptil gigantesco del patrón.

Se observó vestido con corpiño y portaligas, agitado y deseante, mordiendo la almohada. Tembloroso y solitario entre las risas de los otros patrones de estancia que aguardaban el turno para la violación futura.

"¡Niño travieso!, ¡putito!, ¡copulador!", le gritaban. "Te voy a llenar la boca con mis pralinés. ¡Cuquita loca! ¡Puta de barrio!"...

Los señores gozaban de su humillación y de su cuerpo joven con todo el sadismo de los sin conciencia.

¿Odió a su madre? Ella lo prostituyó entregándolo impiadosamente, sin arrepentimiento alguno. Deseó su muerte, la soñó y la fantaseó mil veces. Sufrió, sin embargo, cuando la vio sin vida y tiesa dentro del cajón mortuorio. En un rincón oscuro del corazón se le desplomó el mundo. ¿Cómo expresar ese sentimiento agobiado de pérdida confundido con el rencor enconado y profundo que el recuerdo de su madre le producía? No pretendía entenderlo, ¿para qué?

Soplaba un aire suave en la noche fresca, pero el sudor perlaba su cuerpo, y no por el efecto de la caminata sino por el arrastre mórbido de sus recuerdos. Pensó en la refrigeración del hotel de cinco estrellas, en su *roof-garden* y en los turistas desplazándose en los pasillos y en el *lobby*, en los confortables sillones del salón bar y en el sabor helado y pleno del *Planter Punch*, el *cocktail* de los ganadores, el que regustaban los estancieros violadores.

Le dolían los huesos, todos ellos, y también la cabeza. De pronto lo acosó el deseo de pintarse los labios y de pasarse *rimmel* por las cejas y los párpados, de colocarse las pestañas postizas y el portaligas, de ser violado hasta el agotamiento. Entonces echó de menos a Geralsina, la hembra punitiva, la bruja primorosa y flagelante.

Un ligero mareo detuvo su marcha, tuvo sed. Sentía la boca seca y muchos deseos de beber. En el extremo de la calle a unos cuarenta metros: un bar. Caminó hacia él.

El lugar mal iluminado y sórdido estaba repleto. Abriéndose paso entre las mesas y la gente, se acomodó en un rincón del mostrador que improvisaba una barra. Su cuerpo le enviaba sensaciones inquietantes pletóricas de ansiedad y anhelo.

-¿Qué se sirve?

-Cerveza, cualquier marca.

-¿Latita o botella?

-Me va la botella si está bien fría.

-Helada.

-Adelante.

Pensaba ahora en sus transacciones financieras, combinaciones y recombinaciones en la Bolsa de Comercio, compra y venta de empresas en decadencia que vaciaba sin escrúpulos para llevarlas a la quiebra. O en las transferencias de fondos a paraísos fiscales y en las múltiples fachadas utilizadas con el objetivo de encubrir negocios ilegales.

-Aquí tiene -dijo el mozo del bar.

-Gracias.

El Emisario llenó su vaso con cerveza *Tecate*, mexicana. Demasiado suave para su gusto. Bebió con fruición y se sirvió nuevamente. Con el segundo trago comenzó a ceder la sed. Le pareció que su lengua se desinchaba y se alivió.

Miró hacia las mesas y la gente. Todos conversaban con animación. Un muchachote solitario lo observa desde el extremo opuesto del salón. Llevaba el pelo enrulado teñido de rubio, los ojos fijos en él. Vestía una polera azul y pantalones *jeans* celeste desteñido. Los labios plenos y prometedores sonreían.

El Emisario se estremeció y se sonrojó. Una puntada se clavó en sus testículos y casi inmediatamente su pene se erectó. Devolvió la sonrisa y comenzó a transpirar. La ansiedad se hizo más intensa y se trocó en deseo. Necesitaba acariciar la piel aceitunada del muchachote y ser penetrado por su virilidad.

Bebió otro vaso de cerveza. Después dejó el alto banco en el que estaba sentado y con una mueca procaz en su rostro buscó su compañía.

25

El calor persistente de un verano ya pasado proyectaba todavía sus efluvios en el crepúsculo de un otoño excesivamente templado. La gente descendía de las lanchas que los retransportaban de los distintos recreos de las islas en los que habían elegido pasar el domingo. Los pasajeros acarreaban bolsos, sombrillas, sombreros, radios y hasta sillas desarmables y heladeras portátiles. Predominaban las personas jóvenes y, entre ellas, las mujeres constituían mayoría. Algunas parejas de mediana edad, otras mayores y muy mayores no disimulaban la fatiga acumulada a lo largo del día al aire libre.

Los bares de la Estación Fluvial de la ciudad de Rosario se encontraban atestados de gente de todas las edades. Un conjunto musical, un trío, tocaba la música de "Piel Canela" que una joven cantante modulaba con mucha entonación y gusto.

Adrián comenzaba a preocuparse. Carlos no lograba dominar la ansiedad que inmoderadamente se expresaba en los rictus de su boca y en el fruncir del entrecejo.

Compartían una botella de cerveza, en realidad la segunda, dejándose estar, observando a la gente y gozando de la brisa que llegaba desde el río.

-Ramiro se comunicó conmigo.

-¿Cuándo?

-Hoy mismo, a las tres de la tarde. Me llamó al teléfono celular.

-¿Qué te dijo?

-Que las cosas marchaban aceptablemente, posee nueva información que necesita completar para componer un cuadro de situación consistente.

-¿Dónde está?

-En Ciudad del Este, pasaron por las cataratas. Dice que son magníficas.

-¿Comentó de la bruja?

-La encontró y la conoció, pero no me dio mayores detalles. Se molestó cuando se los pregunté, lo percibí muy claramente.

-¿Qué piensa hacer?, ¿qué pasos dará?

-No tiene certeza.

-Esto no me gusta.

-A mí tampoco..., nada..., nada...

26

La Nodriza dejó el negocio de electrodomésticos y caminó por la calle principal. Le gustaba observar los novísimos modelos de radios a transistores, de televisión y DVD, grabadores minúsculos, cámaras fotográficas y de video, y enterarse de sus precios, bajísimos en relación con los de la Argentina. El próximo paso consistiría en contactar al Emisario. Debía elaborar un plan. ¿Cómo se presentaría? ¿Cuál personalidad adoptaría? ¿Convenía decirle que era un agente del SIDE que en este caso trabajaba por su cuenta, o debía hacerse pasar por otra persona?

Por momentos tenía la impresión de que la situación lo desbordaba. Tal vez ya estaba demasiado cansado y viejo para participar en tales lances.

Se detuvo para admirar la belleza adolescente de una jovencita que pedía limosna cargando un niño en sus brazos, ¿su hijo?, ¿su hermano?, ¿un niño prestado, tal vez? La tersura de su piel morena, esa epidermis reluciente de los indios guaraníes, armonizaba muy bien con la vigorosa carnadura de los músculos. Se excitó. El deseo jadeó en su pecho. ¿Qué estaba por hacer? ¿Ofrecerle dinero a cambio de sexo? ¡No! ¡Imposible! No había venido al Paraguay para putanear con niñas indígenas, sino a sacar provecho de una conspiración. En esto necesitaba concentrarse y no en la locura creciente de sus sentidos corporales, enajenados en la lubricidad húmeda de las vaginas jóvenes.

Dominándose, rompió el sortilegio que le alteraba la razón y maniataba sus sentidos. Apretó los dientes, desvinculó su mirada de la niña madre y marchó calle arriba controlando la agitación del ánimo.

Deambuló por las calles así, meditabundo, ensimismado. Confundido, no lograba encausar sus pensamientos en una dirección determinada, diseñar un curso de acción. Visualizó varias mesas bajo una recova. Un bar. Caminó hacia ellas reprochándose la pobreza de ideas.

-Buenas tardes, ¿qué le sirvo?

-Una cerveza.

-Solamente tenemos Brahma y en botella de litro.

-Está bien.

Se sentía ridículo, hacer este viaje disparatado. Al menos los gastos corrían a cargo del periodista. Afortunadamente la cerveza estaba bien fría y las papas fritas de copetín que la acompañaban muy sabrosas.

Se llevó la mano derecha a la cintura y palpó su teléfono celular. Lo tomó y lo dejó sobre la mesa. Estaba desconectado, ¿se habría descargado la batería? Le dio energía, funcionaba. Lo había apagado sin darse cuenta. Tenía una llamada. Marcó el número indicado y aguardó.

-Lalo..., ya sabés quién te habla..., el negocio se hará en la provincia de Buenos Aires, en La Matanza..., durante los actos de campaña..., se usará un coche bomba... adiós..., -dijo la voz grave de Chusak.

De modo que de eso se trataba, de un atentado con explosivos. Los acontecimientos se precipitaban y parecían muy duros. La Nodriza sintió temor. Se comportaba como un "viatiquero", como decían en los servicios: un aficionado que aprovechaba las circunstancias para espiar; no como lo que él era: un profesional. Sin embargo, percibía que arriesgaba la vida por nada. Marcó el número del teléfono móvil de Chusak, no se pudo comunicar. Una voz femenina le decía que el celular se encontraba apagado o fuera del área de cobertura. Maldijo por lo bajo y se desorientó más aún.

Un muchachito voceaba el diario local. Desarrapado y descalzo, llevaba los periódicos bajo el brazo izquierdo. Le pareció conveniente comprar un ejemplar para distraerse, quizás podría encontrar alguna información útil. Un dato interesante o tal vez una noticia que le sirviera como disparador de ideas. Eso solía acontecer, la mención de un suceso, un reportaje, reseña o referencia cualquiera lograban desencadenar, a veces, una serie de pensamientos capaces de esclarecer una línea de abordaje idónea para sortear los obstáculos o para indicar los pasos a seguir.

En la primera plana, los sucesos nacionales, las tensiones entre El Presidente y los congresistas; en las páginas interiores se consignaban noticias sobre el aumento del precio del gas y la energía eléctrica. Se comentaba el número de turistas que llegaban a Ciudad del Este y se describía la agenda semanal del intendente. En la otra página, las noticias policiales. Entonces lo leyó:

PROPIETARIO DEL BAR RESTAURANTE VIEJO HOTEL ENCONTRADO MUERTO EN EL RÍO IGUAZÚ

El cadáver del señor Oraldo Chusak de 58 años fue encontrado enredado entre las ramas de un tronco en la costa del río Iguazú. La policía argentina investiga el suceso. Se busca a un amigo íntimo del occiso para prestar testimonio.

No se agregaba nada más. Pero esto era más que suficiente para La Nodriza; si Chusak había muerto, él mismo corría serio peligro. Tenía dos alternativas: la primera regresar y olvidarse de todo el asunto; no obstante, esta opción presentaba un grave inconveniente: El Emisario no lo dejaría tranquilo, posiblemente intentaría eliminarlo en su intención de no dejar cabos sueltos. La segunda consistía en proponerle sus servicios, entregar a Ramiro y participar en el complot. Podría conseguir buen dinero, ¿por qué no intentarlo?

27

-Me buscan pero no tienen referencias precisas -declaró Chiquito.

-¿Has sido prolijo?

-Puse cuidado en todos los detalles.

-Explícanos -ordenó El Conejo.

-Nadie nos vio cuando hicimos el viajecito, regresé al Viejo Hotel y limpié mis rastros, no debe quedar ni una de mis huellas dactilares, Lavé el *Jeep*. Usé siempre lentes de contacto verdes y el pelo pintado de rubio, nombre y pasaporte falsos. Engordo unos kilos y ya está, soy otro hombre.

-¿Y la última noche?, ¿te vieron en su compañía? -inquirió El Emisario.

-No lo creo, lo planifiqué muy bien. Salí de Argentina hacia Brasil con el documento falso. Cuando la policía indague encontrará que fulanito dejó el país por la mañana, unas quince horas antes de la muerte que investigan. Regresé con otro documento. Llegué al Viejo Hotel en motoneta hacia las once de la noche. No había nadie.

-Todo parece estar bien entonces.

-Hay que ocuparse del periodista -indicó El Conejo.

-Tuvimos una contrariedad. Geralsina sufrió uno de sus ataques anoche..., está internada, en dos días le darán el alta -comentó El Emisario.

-Esto nos retrasa pero también puede favorecernos. El periodista se enganchó con Geralsina, hay un vínculo entre ellos, lo utilizaremos en nuestro favor.

-Es cierto, no obstante necesitamos apresurarnos, el tiempo apremia.

-Geralsina le sacará lo que sepa, nos interesa la lista de sus contactos y después lo eliminará.

-¿Y el otro?

-¿La Nodriza?

-En cierto sentido es más peligroso. Se trata de un espía profesional.

-El hombre ya es un viejo...

-No lo subestimemos..., se encontró con Chusak -dijo Chiquito.

-Entonces..., debe saber bastante.

-Lo podemos comprar sin problemas.

-Es cierto..., pero, ¿para qué? Resulta más barato hacerlo boleta.

-¿Me tengo que encargar yo? -preguntó Chiquito.

-¡Por supuesto! -exclamaron El Conejo y El Emisario al mismo tiempo.

28

Geralsina despierta sobresaltada. Ha soñado pero no recuerda su sueño. Tan sólo persiste un angustiante anhelo, la transpiración y la agitación en el pecho. Impaciente, da vueltas en su lecho de enferma y se interroga sin hallar respuesta. Insiste y se sorprende al recordar el rostro triste del hombre a quien ella guiaba en la pista de baile. Sonríe. Es una sonrisa furtiva, casi secreta, pero suficiente para abrirle la puerta a un sentimiento que hiere su arrogancia. ¿Compasión?, ¿desde cuándo era capaz de eso? Se sonrojó. "¿Seré tan despreciable? ¿Una bestia insensible? ¿Estaré desprovista de ternura?" No debía plantearse preguntas absurdas a las que ciertamente no encontraría contestación. Sin embargo, se sentía turbada, algún tipo de afecto se había despertado con ella, ¿cómo suprimirlo?

Cambió de postura apoyando su espalda contra el respaldo de la cama. Bebió un vaso de agua que tomó de la mesita de noche y el desasosiego comenzó a ceder.

Rara vez le atacaba la epilepsia, lo hacía en ciertas circunstancias, cuando el furor exaltado de su ánimo se descontrolaba durante vehementes rituales o cuando estallaban en su interior pasiones encontradas y la tensión de su cerebro se hacía insoportable. ¿Qué le había sucedido entonces? No lograba explicárselo.

No fue un acceso muy intenso, los había tenido peores. Era su segundo día de sanatorio, ¿qué esperaban para darle el alta?

Ramiro intentó visitarla pero ella no aceptó recibirlo. No en esa situación que sometía su altanería. Le trajo flores, una docena de rosas rojas. ¿Un mensaje de pasión?

Intentaba razonar lógicamente pero no lo conseguía. Posiblemente su cerebro aún no funcionaba del todo bien.

Buscó su cartera, que recogió de una silla, la abrió y revolvió en su interior. Encontró un espejito de mano. Un disco redondo de plástico que imitaba carey. Desenroscó la tapa y examinó su cara reflejada en el cristal espejado. Se encontró pálida y algo ojerosa. No compartía la habitación. La otra cama estaba vacía y perfectamente hecha con la pulcritud de los sanatorios. O de los cuarteles.

Sintió hambre y muchos deseos de beber un jugo de naranja. Pulsó el timbre dos veces y aguardó.

Ayer había recibido la visita del Emisario; no le agradaba exhibirse ante él en esa posición de derrota, pero no tuvo alternativa. El hombre pagaba la cuenta y no podía negarse.

La ventana descubría un día luminoso y la agitación exterior, rumores de automóviles y del tránsito de otros vehículos se filtraban por ella.

Una enfermera apareció dentro de la habitación. La mujer frisaba los sesenta años. Llevaba una cofia blanca y un delantal muy almidonado del mismo color.

-Pasado mañana le dan el alta.

-Pensé que hoy dejaba el sanatorio.

-Hoy todavía no. Pasado mañana por la mañana.

-Me siento muy bien.

-El médico dice que sus nervios necesitan descanso.

-Tengo hambre, me gustaría comer unos huevos duros y beber un jugo de naranja.

-Esto no es un hotel. Las comidas se sirven en los horarios programados. Somos muy estrictos con eso.

-Por favor, si usted no tiene autorización pídasela al médico. Me mejorará los nervios. La satisfacción de los deseos siempre lo hace.

-Podemos llegar a un arreglo.

-¿Cuál?

-Tengo entendido que usted puede adivinar el futuro.

-Adivinarlo no, predecirlo... Pero no del todo... Solamente en partes y esas partes se muestran confusas, no muy claras.

-¿Vio? ¿Vio que puede? Hacemos un intercambio, le traigo los huevos y el jugo si usted me lee las manos.

-Trato hecho, pero yo no leo las manos.

-¿Ah, no? Y, ¿entonces cómo hace?

-Leo los ojos, el humor acuoso. Eso es lo que cuenta.

La enfermera respingó sorprendida. Claramente le sorprendió la respuesta.

-Mire que leerle los ojos a la gente... Usted debe ser una mujer peligrosa.

-Eso dicen.

"Todo el mundo es igual. Si te dan algo tienes que ofrecer otro algo a cambio", pensó Geralsina.

La enfermera dejó el cuarto.

Geralsina tomo su set de maquillaje y comenzó a arreglarse, se puso colorete en las mejillas y *rimmel* en las pestañas y cejas, después se pintó los labios. Este procedimiento le dio nuevos ánimos. Sin embargo, las ensoñaciones pasadas no la abandonaban. Los vagos recuerdos de sus sueños no se disipaban del todo. Parecían desvanecerse pero retornaban. No lo hacían bajo la apariencia de imágenes sino de sensaciones y de sentimientos.

Cerró los párpados y se tapó las orejas con las manos. Retuvo la respiración iniciando un viaje al interior de su cuerpo, hundiéndose en sí misma.

Procuró darle forma a su sentir. Se esforzaba y esforzaba. Fue cayendo hacia un abismo sin fondo, penetró la nada y flotó por el vacío. El misterio no se esclarecía.

En un impulso único se fundió en el orden vital, en el suyo y en el de la vida toda. Su imaginación dibujó contornos, los límites que delinean la materia y entonces comenzó a percibir, pero no figuras sino sensaciones..., pena..., un hondo penar..., angustia y una terrible tristeza. Por fin, en aquel momento descubrió lo que ya sabía pero se negaba a aceptar. Que se encontraba ligada a su compañero de baile, el inefable Ramiro, por lazos antiguos. Que habían sido amantes en otro ciclo de lo existente, dueños de un amor esplendoroso y apasionado, y que su destrucción acarrearía la suya.

Paulatinamente retomó sus funciones vitales, desenterrándose de su intimidad carnal. Renaciendo de sí misma regresó del viaje y al hacerlo observó a la asombrada enfermera mirándola estupefacta y con una inocultable expresión de temor. La bandeja cargada con los huevos duros y el gran vaso lleno de jugo de naranja temblaban conjuntamente con sus brazos y manos.

29

No aceptaba La Nodriza la idea de "regresar con las manos vacías", como él se lo decía a sí mismo. Debía obtener algún beneficio. Este principio constituía una de las reglas fundamentales de su profesión. Es cierto, no se trataba de forzar la determinación de la voluntad, la actitud voluntarista tenía sus límites, a veces muy precisos, imposibles de superar. Pero no rompería las reglas así como así. Debía aprovechar la oportunidad, cualquier ocasión favorable a sus designios (alguna habría de presentarse) y si no era este el caso apelaría a su talento y competencia práctica para construir las circunstancias adecuadas capaces de habilitar su propósito.

Conduciría su juego con habilidad, se aproximaría delicadamente, el acercamiento al Emisario debía traslucir su timidez y cierta vergüenza. Precisaba convencer, su vida dependía de ello.

La Nodriza caminaba en dirección al hotel, apenas se vieron con Ramiro durante el tercero y el cuarto día. Los dos así lo determinaron tácitamente. Ramiro visitó a un par de periodistas a los que fue encomendado por un colega del *Diario* y anduvo al boleo, aquí y allá, sin éxito alguno en apariencia. Por las noches Ramiro se encerraba en su cuarto, cenaba en él, y se entregaba a la tarea de escribir en su *notebook*.

Él prefería el comedor del hotel, a pesar de encontrarlo demasiado ostentoso aun para su gusto. Una noche se topó con El Emisario. No estaba acompañado y esto le extrañó. Se cruzaron la mirada en tres o cuatro oportunidades. Los dos se reconocieron, esto lo supo La Nodriza por la mirada escrutadora e inquisitiva del Emisario, quien lo observó detenidamente semioculto tras la cortina de humo de su cigarro. Al momento en el que fue descubierto, sus ojos se posaron en el gran recipiente de cristal repleto de peces multicolores.

Hasta el momento La Nodriza no lo había abordado. Las circunstancias cambiaban ahora. Descubierto el error de su alianza con Ramiro, debía proyectarse en otro espacio de acción, saltar de un bando a otro en un radical cambio de estrategia y así lo haría.

Cuando ingresó al amplio hall del hotel encontró a Ramiro conversando con el conserje. ¿Qué se dirían? Ciertamente no hablarían de moda o de cine.

Llegó hasta la conserjería.

-Hola –dijo Ramiro al acercarse.

-Tengo algunas novedades.

-¿Importantes?

La Nodriza aceptó con un movimiento de cabeza.

-Vamos al bar.

La Nodriza guardaba en la memoria de su teléfono móvil la llamada de Chusak. Le pareció buena la idea de explicarle lo que sabía. De esa manera disminuía su sentimiento de culpa, que no le molestaba mucho, pero le irritaba ligeramente. Diría la verdad al Emisario, que Ramiro estaba en conocimiento del atentado, del lugar en el que se perpetraría y del momento: durante el acto de campaña en La Matanza, provincia de Buenos Aires. Él se comprometería a controlar a Ramiro durante un plazo de dos días. Le impediría difundir la noticia. Corría el peligro de no poder hacerlo, pero confiaba en que si le prometía revelarle los nombres de los principales conjurados y conseguirle pruebas incriminatorias lograría entretenerlo durante el plazo estipulado.

Tomaron asiento en unas mesitas ratonas y ordenaron dos tazas de café.

-Cuénteme –pidió Ramiro.

La Nodriza buscó su teléfono y lo manipuló.

-Escuchá -dijo.

Nuevamente La Nodriza recomenzaba el tuteo, ¿qué lo motivaba a pasar del *usted* al *vos* y del *vos* al *usted* a su capricho?

A medida que la voz de Chusak se expresaba, el rostro de Ramiro se contraía más.

-Tenemos que comunicarnos con él.

-Lo intenté, su teléfono celular no responde –anunció La Nodriza en voz baja, como conspirando.

El cambio de tono de voz llamó la atención de Ramiro. Y ese gesto en la cara, ¿qué significaba?

La Nodriza dudaba, ¿convenía comunicarle la muerte de Chusak? Intuía que todo se complicaba, que su actitud llamaba la atención del periodista y que la contracción de las facciones de su cara no resultaba natural.

-¿Qué pasó con Chusak? Tengo la impresión de que sabés algo más y no me lo querés decir...

-Es que, tomá... –dijo La Nodriza, al mismo tiempo que extraía el diario de uno de los dos bolsillos de su chaqueta. Leé ahí –añadió.

Ramiro leyó y empalideció. Sus nervios se excitaron, sensaciones difíciles de calificar recorrieron su cuerpo. Solamente atinó a comprender que se trataba de señales de peligro enviadas desde las profundidades de su ser.

-Esto se nos va de las manos.

-Sí, me parece que en esta nos jugamos la vida.

-Tenemos que avisar al grupo del Oponente.

-Ya lo saben... Chusak trabajaba para el SIDE. Si nos puso a nosotros al tanto es seguro que ya el Señor Cinco lo sabe.

-Es muy probable, pero...

-Como sospechaba Chusak, se trata de un atentado con explosivos. Al utilizar un coche bomba les resultará más fácil responsabilizar a los terroristas, también matar al Oponente. El poder destructivo será terrible.

-Debemos hacer pública la noticia, impedir el magnicidio.

-Ése no es el camino correcto.

-¿Y entonces cuál es?

-Averiguar más..., los nombres de los principales implicados y el plan alternativo.

-Pero, ¿hay otro plan?

-Siempre lo hay, uno o dos, es la manera inteligente de hacer las cosas.

-¿Cómo nos enteraremos?

-No lo sé. Pero tenemos que intentarlo. Vos te encargarás de sonsacárselo a Geralsina, la mulata debe saber algo. Yo me ocuparé del Emisario. Pero para eso debo ganarme su confianza...

-No tenemos tiempo.

-Entonces hay que sacarles la información de algún modo. Ya se nos ocurrirá cómo hacerlo.

-En "el negocio" participa también un tipo al que le dicen "El Conejo".

-¡Estamos embromados!

-¡¿Lo conocés?!

-Es el jefe de un grupo de sicarios. Un asesino sin entrañas,

Si esto decía La Nodriza, si el hombre atemorizaba a un personaje como él, El Conejo debía ser un genio maligno. Un verdadero hijo del Mal.

Ramiro percibió que sus fuerzas lo abandonaban, se descorazonaba. Esa fe puesta en evidencia por el natural furor de su espíritu declinaba y cedía. Nuevamente le asaltaban esas premoniciones de muerte. Se descubría en un mundo no habitado por la materia. Desintegrado el cuerpo, su yo divagaba en un universo de angustia. No lo consolaba el pensamiento de que el destino de toda vida era la muerte, que una y otra se nutrían mutuamente; y comenzó a comprender, por primera vez en profundidad, el significado de la palabra desesperación.

-Parece que un fulano llamado El Sirio consiguió los explosivos que la banda necesita.

-¿El Sirio? Mis contactos me hablaron de él. Los servicios secretos israelíes lo buscan. Es un traficante de armas especializado en todo tipo de bombas, ¿qué hace por acá? Hum..., el complot tiende a adquirir una ramificación mucho mayor. El asesinato del Oponente puede ser uno de sus múltiples aspectos.

-¿Es tan importante El Sirio?

-Un cuadro mayor del *Hezbollah.*

-¿Será la misma persona?

-¡Vaya uno a saber!

-Podría tratarse de otros atentados similares a los de la Embajada de Israel y al de la AMIA.

-Algo distinto, el *Hezbollah* no tuvo nada que ver con ellos.

-Pero no se trata del *Hezbollah*, como organización, sino de gente que la abandonó y que ahora opera por su cuenta.

-O de la Mafia Rusa.

-¿La Mafia Rusa?..., ¿qué tiene que ver con esto?

-¡No lo sé! He visto un informe secreto, en él se afirma que El Sirio ha vendido cargas explosivas a la Mafia Rusa. Tampoco sé si este sirio tiene o tuvo alguna relación con *Hezbollah.* Ni siquiera si *Hezbollah* ha dejado algunos de sus hombres en Ciudad del Este o en algún otro lugar de la Triple Frontera. Nadie, que yo sepa, ha conseguido verificar todos esos rumores.

-¡Estamos adivinando!

-Es cierto..., el mundo de los espías es así...

-¡¿Cómo es eso?! Tengo entendido que se recolectan datos muy precisos, rigurosamente comprobados, se chequean las fuentes, se las analiza en detalle, se obtienen pruebas, se las examina críticamente, y después se comunica la información.

-Esa tarea puede que se haga entre los científicos. Entre los espías la cosa no es tan seria. Sobre todo cuando hay dinero de por medio. Cuando existe un mercado en el que se compra y se vende información cualquier cosa es posible. Todo resulta muy confuso. Hay mucha labor de desinformación, de falsos rumores, de datos fraguados, de información basura. Nunca se sabe muy bien cuál es la calidad de los datos que se disponen. Como además los espías viven una doble vida, la identidad de agente secreto se esconde, no se exhibe por allí, los agentes tienen una existencia esquizofrénica, agotadora. Muchos espías recurren al alcohol y al sexo, a la religión y..., ¡hasta al psicoanalista! Con estos recursos procuran bajar el nivel del estrés al que están sometidos cotidianamente –sermoneó La Nodriza con ansiedad.

-Ya no entiendo dónde estamos parados.

-Retomemos lo nuestro. No le comuniques a nadie lo que sabemos, ni siquiera a Carlos, lo podés comprometer. Su ignorancia constituye la base de su seguridad, es como una coraza protectora. Los hombres del Oponente ya saben lo que necesitan saber. ¡Eso es seguro! Nos damos dos días más, si no logramos mejorar la calidad de la información que manejamos, le ponemos punto final a esta aventura y retornamos con lo que sabemos. Entonces, si querés, publicás lo que se te dé la gana... ¿Qué te parece?

-No sé, estoy confundido.

-No podemos darnos ese lujo... ¿Qué hacemos?

-Está bien, estoy de acuerdo.

30

Chiquito observó a Ramiro y a La Nodriza mientras conversaban. El tipo con aspecto de periodista tenía cara de consternado. La Nodriza, en cambio, parecía hablar con actitud provocativa y tensa al principio, luego cambió, detectaba una sombra de espanto en sus ojos. Indudablemente se intercambiaban alguna clase de información que los agitaba. La diversidad de los gestos que el viejo hacía con la cara le llamó poderosamente la atención. Se notaba su esfuerzo, intentaba convencer al otro de la bondad de su punto de vista, lo inducía a aceptar sus razones cualquiera fueran éstas. Debía extremar sus precauciones, el tipejo no parecía ningún tonto sino más bien un zorro viejo. "El diablo sabe por diablo, pero más sabe por viejo", pensó. Los proverbios populares suelen advertir de lo evidente que por obvio se olvida.

Ninguno de los dos hombres reparó en él, tuvo tal certeza. Esto siempre resultaba conveniente, ocultarse no resultaba tan fácil como la gente lo suponía. Para nadie. Ni siquiera para el más experimentado perseguidor.

Intentaba pasar desapercibido de la manera más clásica posible: enfrascándose en la lectura de un periódico. Podía mirar sin ser visto. Vigilar a su presa acechando sus movimientos, que hasta el momento no eran muchos por cierto, ella no dejaba su asiento.

El Emisario le pidió que eliminara a La Nodriza lo más eficazmente posible. En realidad no convenía hacerlo en el hotel, podía efectuarse una investigación y las investigaciones resultaban siempre incómodas. Especialmente en las circunstancias que se presentaban. Es decir, cuando la operación entraba en su fase final. Pasado mañana trasladarían el coche bomba. Ésta era la última noche del Emisario en el hotel. Por otro lado ya no disponía de tiempo. Debían sacarse de encima a estos tipos lo más rápidamente posible.

Quizás El Emisario debiera dejar hoy mismo su cuarto. También Geralsina. La mulata había regresado curada del sanatorio. Ella se encargaría del periodista. Mañana, a más tardar, los dos terminarían con sus respectivas misiones. No se despegaría del viejo. Aprovecharía la primera oportunidad que se le presentara.

Los hombres se incorporaron. Caminaron hacia el ascensor. Seguramente se dirigían a sus cuartos. El periodista ocupaba el 416 y el viejo el 419.

La puerta automática del ascensor se cerró, los números correspondientes a cada uno de los pisos se iluminaban en el indicador instalado sobre ella, quince botones de color rojo. Se iluminó el número 4.

Chiquito dejó el diario sobre el sillón en el que se había sentado. Caminó hacia las escaleras. Observó a su alrededor. Aparentemente nadie lo miraba. Pisó el primer escalón y después siguió marchando sobre los otros.

31

Ramiro se duchó, escurrió el agua del cuerpo y se secó friccionándose de arriba hacia abajo con el grueso toallón blanco. En ropa interior se sentó a la mesa escritorio, abrió su computadora y recomenzó la redacción de su diario. Al releer lo ya escrito se llenó de aprehensión. No parecía dueño de un entendimiento penetrante. Los hombres instruidos nombraban sus experiencias utilizando las palabras adecuadas mientras que él se esforzaba para hacerlo y no lo conseguía, carecía de sagacidad, y sobre todo, de sutileza. ¿Estaban obstruidas sus funciones intelectuales? No se proponía redactar una crónica de los sucesos, más bien deseaba examinar y ponderar los hechos, la actitud de las personas ante ellos y la naturaleza de las relaciones que mantenían entre sí. También registrar sus impresiones sobre la localidad, describir sus vivencias y reflexionar sobre ellas. "No me someteré al desaliento, no inclinaré la cabeza..., *¡a contracorriente!*", exclamó presionando las teclas que reflejaban letras, palabras, párrafos, frases y oraciones en la pantalla de la computadora.

Durante una hora trabajó en ello, afanosamente, hasta el momento en que el teléfono sonó. Con un gesto de fastidio se levantó y lo atendió.

-Hola...

-Aló, habla Geralsina... Quiero agradecerte tu regalo, las flores... -lo tuteó. Se había establecido un lazo de confianza entre ellos. Por lo menos un acercamiento que rompía el formalismo del *usted* ("en la Argentina el *usted* ha caído prácticamente en desuso. Todo el mundo se tutea apenas se conoce. La gente mayor todavía se reserva en muchos casos y cuando se relaciona entre sí, el tratamiento de otrora. Pero si la relación se establece entre una persona joven y otra mayor, sobre todo si la persona joven es del sexo femenino, se impone el *voseo*, a excepción de que la persona mayor sea verdaderamente mayor, anciana").

Ramiro pensó todo esto de un tirón, encadenadamente. Tal vez porque se sentía muy mayor con relación a Geralsina. La mulata aparentaba unos treinta años aproximadamente.

-Es lo menos que podía hacer..., ¿cómo te sentís?

-Algo fatigada pero bien.

-Me alegro.

-Gracias, pido disculpas porque no te recibí en el sanatorio.

-No tuviste por qué hacerlo..., entiendo.

-Pensé que podrías visitarme en mi habitación.

-¿En tu habitación?, ¿dónde estás?

-En el hotel. Sólo tienes que subir un piso, es la 513... Podemos cenar aquí, me gustaría mucho.

-A mí también, ¿cuándo?

-Ahora mismo.

Ramiro se sorprendió. Le gustaba la idea, tenía necesidad de ver a Geralsina. En ese momento no se percató de que su deseo se refería a un asunto personal que en nada se relacionaba con el propósito fundamental de su aventura.

-Me visto, en unos quince minutos estoy allí.

-Te espero.

-No tardo...

32

La Nodriza se propuso acceder al Emisario esa misma noche. Primero tomaría un baño de inmersión, nada de ducha. Sus viejos músculos necesitaban relajarse. Ramiro aceptó sus argumentos. Sin embargo, lo hizo de un modo provisorio. Podría cambiar de opinión en cualquier momento, por lo que necesitaba darse prisa.

El baño le sentaría de mil maravillas. Colocó el tapón de la bañera, abrió la canilla del agua caliente y luego la del agua fría. Reguló la temperatura. Aun en verano le gustaba tomar un baño con la temperatura del agua relativamente elevada. Se desnudó y buscó la muda limpia. Una camiseta sin mangas y calzoncillo tipo *short*.

Observó su reflejo en el espejo, se molestó. Se encontró viejo, las magras carnes fláccidas, las rodillas huesudas y el vientre hinchado. Su pene colgaba sin gracia alguna, como una ramita mustia y apergaminada en el medio de la bolsa de los testículos.

Le pareció que lo mejor sería confrontar de un modo directo al Emisario, presentarse y decirle quien era, hablarle sobre sus capacidades y su buena disposición y ofrecerle sus servicios. Debía comportarse como buen negociador. Demostrarle cuánto valía lo que le podía ofrecer. Sí, eso mismo haría. Esa era la línea de conducta a seguir.

Cerró las canillas y se hundió en el agua. Estaba muy agradable, su temperatura le irradiaba un calor que parecía revitalizarlo, las células del cuerpo se distendían. Tomó un poco de algodón y se hizo unos taponcitos que colocó en sus oídos. Cerró los ojos. Dormiría una siestecita, corta y reparadora. De ese modo estaría en mejor condiciones físicas y psicológicas para entrevistarse con El Emisario.

Con movimientos elásticos y lentos de animal depredador al asedio, Chiquito se deslizó en la habitación. Vio cómo el viejo se metía en la bañera, cómo se colocaba los tapones para los oídos. El viejo se ubicó de modo tal que le daba la espalda a la puerta. La situación era inmejorable, la tentación muy fuerte, ¿lo mataría? Resultaba más conveniente hacerlo mañana, pero le dolía perder tan buena oportunidad. "Nunca hay que darle las espaldas a las aberturas y mucho menos a las puertas", ésta era una de sus consignas preferidas. No facilitaba a sus enemigos la posibilidad de atacarlo por sorpresa. De ser necesario se sentaba o acostaba en un rincón, pero siempre de cara hacia donde razonablemente pudiera llegar el peligro.

Con mucho cuidado se movió. Buscó en el placard y encontró una corbata de seda amarilla y una bolsa de plástico. No necesitaba otra cosa. Se colocó los guantes de goma que siempre llevaba consigo. Después puso la corbata entre sus dientes y tomó la bolsa de plástico. Sacó una cachiporra de goma elástica de un bolsillo de su pantalón, extremó el cuidado de su desplazamiento y se introdujo en el baño.

Dio dos cachiporrazos en la cabeza de La Nodriza. El primero en la sien derecha y el segundo lo más cerca posible de la nuca.

La cabeza se hundió primero en el agua y luego emergió. Con cada golpe sucedió lo mismo. La víctima no gritó ni gimió. Cubrió la cabeza con la bolsa de plástico y estranguló la garganta con la corbata. Lo hizo con fuerza y durante mucho tiempo.

Cuando tuvo la certeza de la muerte, abandonó el cuerpo. Y con la misma ligereza y elasticidad con la que entró en el cuarto, esta vez lo dejó.

33

Atribulada por reacciones químicas desatadas en su fisiología, a causa de sentimientos que no aceptaba como verdaderos, porque ambos fenómenos se acoplaban, o uno generaba al otro, lo cierto es que Geralsina perdía su impasibilidad. Su temperamento se desestabilizaba, de un modo recurrente cierta ansia la asediaba, acosándola en su repetición constante. Esta trastornada emoción se hacía más notoria ahora, mientras esperaba a Ramiro.

El Emisario le había ordenado: "elimínalo". El sonido de su voz, su tono áspero e hiriente mostraba a las claras y sin duda alguna que Ramiro estaba en conocimiento de información comprometedora para el éxito de la misión. Le transfería además una advertencia y una indicación, la orden debía cumplirse con diligencia y precisión. Al emitir el mandato, el entrecejo se le comprimió en una demostración de exasperación, exhibiendo su disgusto.

El estómago de Geralsina se retorció en un giro inesperado de sus tripas y el sentido físico del sufrimiento moral se manifestó con un dolor agudo en el vientre.

34

"Mierda"-pensó Chiquito, "el periodista me vio salir del cuarto de La Nodriza, ¡qué mala suerte!"

El taxi lo conducía por las calles de Ciudad del Este en dirección al garaje. Quizás las prioridades habían cambiado, no lo tenía claro aún. Tal vez se había dejado llevar por un impulso incontrolable y cometía un error. Pero, ¿cómo no aprovechar la oportunidad de eliminar sin riesgo a La Nodriza?, ¿cómo suponer que se cruzaría con el periodista en el preciso instante en que dejaba la habitación del viejo?

"Quién sabe, ¿se están complicando las cosas?". La duda lo zahería, produciéndole un malestar excesivo. No podrían utilizar el autobús de línea internacional para transportar el explosivo. Se demoraron demasiado los arreglos y el tiempo apremiaba, por eso estaban acondicionando la camioneta 4x4. El mismo vehículo se usaría como coche bomba. El tiempo se los devoraba, se había adelantado la fecha del magnicidio y únicamente disponían de cuatro días para realizarlo.

El Emisario, siempre tan tranquilo, demostraba una excitación inusual, sus nervios parecían traicionarlo y esto lo perturbaba. Las dificultades parecían acrecentarse a medida que el plazo tendía a expirar.

Hizo detener al taxi tres cuadras antes de llegar a destino. Una precaución más. Debía mantener en secreto la dirección a la que se dirigía.

La brisa de la noche se enredó en sus cabellos, se sintió receloso y de mal humor. Aceleró el ritmo de su marcha.

Repentinamente le asaltó el deseo de beber una cerveza y comerse unas salchichas acompañadas de papas fritas doradas y crocantes.

Golpeó la cortina metálica del garaje y aguardó, no mucho. Prontamente ésta se alzó y la cara del Conejo lo recibió.

-¿Cómo te fue?

-No estoy muy seguro.

-Explicate.

-¿Y El Emisario?

-Está en la oficina, hablando por teléfono a la Argentina.

-Tuve que adelantarme. No pude dejar de hacerlo, se presentó una oportunidad inmejorable.

-Ese es un hecho digno de tenerse en cuenta.

-El hecho..., ¿alterará el programa?

-No mucho. Tendremos que hacer algunas correcciones. El Emisario deberá dejar el hotel. Voy a hablarle.

Dos operarios echados sobre el piso trabajaban con soldadores en el chasis del vehículo. Los observó, parecían eficientes. Chiquito tomó un cigarrillo. Le dio fuego con un encendor austríaco a bencina confeccionado con latón, uno de esos que los argentinos llamaban, afectuosamente, *carusita*.

El Emisario apareció detrás de unos automóviles de capó abierto y motores grasientos.

-¡Te felicito! Nos quitaste a La Nodriza de encima.

-Tuve que hacerlo antes de lo previsto.

-No importa –aseguró El Emisario dejando correr los dedos de su mano derecha sobre la seda de su corbata amarilla. Eso ocurre, la vida es caprichosa y debemos adecuarnos a las circunstancias..., si somos inteligentes, quiero decir –agregó.

–Los muchachos ya están por terminar –indicó El Conejo señalando a los trabajadores.

–Cuando lo hagan cargamos los explosivos y dejamos el dispositivo muy bien preparado para el atentado. De esa manera recuperamos el tiempo que nos falta –dijo El Emisario.

–Cuando dejé el cuarto del viejo me topé con el periodista. Me miró con curiosidad, me marcó.

–No importa. Geralsina se encargará, ya lo tiene en su habitación como una araña a una mosca enredada en su tela.

–Es conveniente que saqués tus cosas del hotel. Mañana encontrarán los dos cadáveres.

–Sí, mejor me voy. De nosotros no van a sospechar, somos viejos clientes y hasta el presente no les dejamos ningún muerto.

–Ahora les dejaremos dos. Tal vez no nos aprecien como antes –señaló Chiquito.

–Siempre hay otras opciones. En ese hotel la gente viene y va todo el tiempo. Hay clientes que provienen de casi todos los rincones del mundo, ¿por qué atribuirnos la responsabilidad de esas muertes?

–¿Hay novedades de la Argentina?

–Los compañeros tienen todo bien dispuesto. Cargamos los explosivos y mañana por la mañana pasamos la frontera. Si terminamos a tiempo lo podemos hacer esta misma noche. Tanto hoy como el día de mañana tenemos amigos en las dos aduanas.

–Te quedás corto, allí tenemos amigos durante los siete días de la semana –aclaró El Conejo, sonriendo con picardía.

–Regreso enseguida –advirtió El Emisario.

–Te esperamos –comentó El Conejo.

El Emisario conducía su alquilado Mercedes con parsimonia. Pero esa aparente calma era estudiada. Una actitud que se imponía con propósitos de autocontrol. Chiquito se apresuró. Es cierto que no se debían despreciar las oportunidades y más en un oficio como el suyo. Sin embargo, recelaba. "A Chiquito le gusta demasiado matar", pensó, y eso lo preocupaba. Encontraba su actitud enfermiza. Él no tenía una percepción estrecha de la vida. Había que matar si resultaba necesario pero no deleitarse en ello. Esta muerte adelantada alteraba el cronograma establecido y eso lo fastidiaba. Además existía cierta desavenencia entre el grupo que facilitaría el apoyo necesario para implementar el atentado y probablemente estaría obligado a cambiar, si no la fecha, al menos el lugar. Los servicios habrían informado al Oponente, su seguridad estaría reforzada y alerta. De todas maneras, no les resultaría fácil detenerlo. Nunca lo era si todo se planificaba bien, esto es con opciones alternativas capaces de derivar la acción por circuitos colaterales e inesperados para los enemigos. En esto él era un maestro, se tenía confianza, pero debía aceptar que el panorama no se mostraba favorable. Eso lo impacientaba y lo enfadaba.

Confiaba en Geralsina. Seguramente utilizaría la pipa ritual, esa pipa de barro cargada con el compuesto venenoso que aletargaba primero y poco a poco bloqueaba las vías respiratorias hasta producir el paro cardíaco. Este procedimiento resultaba muy eficaz, ya que la víctima se indisponía levemente al principio (el periodista regresaría a su habitación en ese momento o poco después), para irse ahogando hasta llegar al colapso fatal. El veneno resultaba de muy difícil rastreo en el hipotético caso de una autopsia.

El Emisario avizoró el hotel, en un acto de resolución se exigió adoptar una apariencia flemática e indolente. Intentó relajarse y conferir un contenido empírico a la palabra apacible.

El Mercedes se deslizaba lentamente, con su sólida dignidad, por la calle y se desvió para ingresar a la playa de estacionamiento. Tomó ubicación y se detuvo. El Emisario descendió del coche.

35

Acicalado para su encuentro con Geralsina, Ramiro abandonó su habitación y cerró con llave la puerta. Se retiraba por el pasillo rumbo hacia los ascensores cuando vio a un hombre joven, delgado, de estatura mediana y muy apuesto, salir del cuarto de La Nodriza; creyó reconocer sus facciones, aunque no podría afirmarlo con certeza.

El hombre descubierto en actitud sospechosa pareció atrapado en grave falta. Fue muy evidente su sorpresa y el disgusto que ella le provocó. Caminó en su dirección pero al llegar a la escalinata descendió por ella. Más raro aún. "¿Quién será este sujeto? Le preguntaré a La Nodriza", comentó para sí Ramiro y estuvo a punto de retornar para hacerlo cuando la puerta del ascensor se abrió. Por un instante dudó, enseguida se introdujo en el aparato móvil. "Geralsina me espera. Lo indagaré a mi regreso", sin reflexionar si el tal regreso tomaría un lapso reducido o prolongado de tiempo.

Apenas llamó a la puerta Geralsina abrió.

-¿Qué tal?

-Estás... bellísima...

La mujer sonrió satisfecha, el rojo encarnado era su color favorito y sabía lucirlo. Esta vez lo usaba bajo la forma de una *robe de chambre* muy ceñida al cuerpo. No llevaba ropa interior. Su turgente desnudez, evidente y provocativa, dejó a Ramiro sin aliento.

La mulata advirtió la reacción del hombre y sintió que retomaba el dominio de sí misma y, posiblemente, también de la situación.

-Siéntate...

Ramiro eligió un sillón. La mujer se dejó caer lánguidamente sobre un sofá dejando ver parte de sus senos y del bajo vientre. La flagrante hermosura de su pubis descubría la inmortalidad instantánea de la carne, la fugacidad de lo fugaz y la fragancia de los jardines babilonios.

-Brindemos por el reencuentro...

Ramiro sirvió el *champagne*. "*Don Pèrignon*. Qué gustos caros ¿Quién lo pagará?", pensó. Entonces el velo que lo cegaba se desprendió, tomó conciencia de la situación. Geralsina trabajaba para El Emisario, él abonaba sus cuentas y ciertamente también ésta. La mujer lo manipulaba seduciéndolo con su encanto hipnótico. ¡Qué estúpido era! ¡Y cuán engreído! ¡Creía significar algo para ella! Despertarle adormecidas emociones... ¡Qué iluso!...

Geralsina advirtió la transformación del estado de ánimo de su compañero, su confusión y su vacilación. Su desencanto. No podía aceptar esto, que se desencantara. La fascinación era su única arma.

-Sabes quién soy, ¿cierto?

-Sí, Geralsina, lo sé.

-¿Sabes por qué estas aquí, conmigo?

-También lo sé.

-Te equivocas... Crees saberlo, pero piensas mal...

-No lo creo. Doy por supuesto que además de saber quien soy, estás al tanto de lo que busco.

-Es cierto.

-¿Ves? Querés sonsacarme información, evaluar mis conocimientos.

-Te equivocas. Mis órdenes son otras.

-¿Otras? ¿Cuáles?

-Debo matarte –afirmó Geralsina en un tono seco y punzante, como una puñalada.

-¡¿Qué?!..., ¿qué decís?...

-Debo matarte. Aquí, esta noche.

Ramiro quedó completamente turbado. No estaba preparado para semejante revelación. La situación lo desbordaba completamente. Se mareaba. El egocentrismo de la mulata rayaba en lo patológico. ¿Qué pensaba? No se quedaría sin hacer nada después de semejante confesión. Sentíase suspendido en el tiempo, como flotando en un vacío atemporal, distante de la escena que vivía. Debió realizar un tremendo esfuerzo de voluntad para recomponerse.

Geralsina procuraba adherirse al desarrollo de las emociones de Ramiro. Éste resultaba muy transparente, su organismo entero se ponía en evidencia en el humor acuoso de los ojos.

-No puedo creerte. No me lo dirías si fuera cierto.

-Es cierto, sucede que...

-¡¿Qué?! –preguntó y ordenó Ramiro.

-No estoy segura si quiero hacerlo.

"¡Cuánta desfachatez! Esta mujer está loca..., ¿pensará que me tiene atrapado?" Imaginó a Geralsina como una araña. Alejándose y moviéndose hacia él en un conjunto de movimientos sucesivos, como si él fuera una mosca enredada en la tela que ella tejía con dedicación para capturarlo de un modo incuestionable y definitivo.

-Tenés un problema. No te dejaré matarme.

-Tal vez sí y tal vez no.

-¡Ah! Sí, y..., ¿cómo es eso?

-No esperarás que yo te lo diga, puedo poner algunas cartas sobre la mesa pero nunca todas... ¿Vamos a brindar o no? –preguntó Geralsina levantando su copa.

Ramiro tomó la suya pero al momento la dejó.

-¿Le echaste algún tóxico al *champagne*?

-No es mi costumbre envenenar a mis invitados.

-Pero sí matarlos.

-Eso es otra cosa.

-¿Sí?

-Por supuesto, mira...

Geralsina sorbió el vino de su copa y luego vació la de Ramiro.

-¿Viste? Puede que me haya emborrachado pero ciertamente no me envenené.

-Todavía no estoy seguro de lo que sos o no capaz de hacer...

Tampoco Geralsina estaba muy segura, ni siquiera de sus deseos.

-Seamos cordiales el uno con el otro. Brindemos y comamos..., tenemos caviar y del bueno, pollo frío, jamón crudo y palmitos, ensalada rusa...

-¿Te parece que tengo ganas de comer y de beber después de lo que me dijiste?

-¿Y si fue una bufonada?

-No te entiendo.

-Te pude hacer una broma.

-¿Con qué propósito?

-Para divertirme.

-No lo creo.

-¿Por qué?

-Tengo la impresión de que hablabas seriamente... Además...

-¿Sí?

-Es muy peligroso hacerlo..., no te doy fe.

-Haces mal, puedo salvarte la vida.

-¿Comenzamos de nuevo? ¿Estamos jugando al gato y al ratón? ¿Combatimos, hacemos concesiones recíprocas, negociamos y volvemos a enfrentarnos?

-El amor es así...

-¿De que hablás ahora?, ¿de amor?... ¡No se puede creer!...

-Quise decir que el sentimiento amoroso se expresa en términos parecidos, tal vez nos resistimos a aceptar algo muy evidente.

-¿Y eso es?

-Ramiro, algo pasó entre nosotros aquella noche, algo muy intenso y profundo... Hermoso, hiciste nacer en mí un sentimiento... ¡Una pasión que me derrumbó! Lo viste..., estabas ahí cuando sucedió...

-Te desmayaste, cierto...

-¡Me dio un ataque de epilepsia! ¡Eso es muy raro!... Desataste en mí emociones potentes, incontrolables.

Al decir esto, al adjudicarle palabras a sus inquietudes, Geralsina comenzaba a creer lo que decía. ¿Y si era verdad?, ¿no había tenido aquella experiencia en el sanatorio? El sondeo en las profundidades de su personalidad había encontrado un lazo íntimo con Ramiro, su compañero imaginario en una de sus vidas anteriores. ¿Imaginario? Fue una pasión exaltada, un amor proyectado a las estrellas. Almas gemelas diluidas en una música que fluía ascendiendo los contornos de lo real, intraducible en cualquier lenguaje humano. Éxtasis en estado puro.

Los hermosos ojos negros de Geralsina se humedecieron y derramaron lágrimas que manaban quedamente en un llanto recatado, profundamente triste y sin final.

Ramiro se conmovió. Acarició muy suavemente sus mejillas, con una ternura de niño perdido.

-Te amo -dijo Geralsina con un hilo de voz.

-También yo...

Se abrazaron. Fue un abrazo estrecho, casi perenne. Se dejaron estar así, en un mutuo estremecimiento de los cuerpos perdiendo la noción del tiempo y de lo que los rodeaba.

Al despertar del prolongado letargo, Geralsina bebió *champagne*. Ramiro la imitó, la mulata untó una tostada con caviar y la llevó a la boca de Ramiro quien, obediente, masticó la comida. Después se sirvieron pollo y ensalada rusa, más caviar y más *champagne*.

-La comida es exquisita –comentó Ramiro.

-¡Qué bueno! Me alegra que te agrade.

-¿Qué hacés?

-¿Te gusta la pipa? Es de barro. Mi madre la ha hecho para mí... Tengo ganas de fumar una preparación que me relaja.

Geralsina levantó la tapa de una caja de plata. En su interior, recubierto de madera de cedro, se enredaban hebras de tabaco mezcladas con hierbas extraídas de la planta sagrada. Una preparación conocida solamente por los brujos.

Ramiro estaba absorto en los movimientos de Geralsina, sus

largos dedos aleteaban con la delicadeza y la gracia de las mariposas. Sus movimientos precisos tenían una rigurosidad de ritual y una elegancia cortesana.

Geralsina se llevó la pipa a los labios y encendió la mezcla. Chupó una, dos, tres, veces. Exhaló el humo con placer. El aroma resultaba refrescante y atractivo.

-Dejame probar –pidió Ramiro.

-Ten...

Ramiro aspiro dos veces y quiso devolver la pipa.

-Sigue tú..., fuma..., aspira el humo que te relajará..., déjalo flotar en los pulmones..., sí..., así te hará bien...

Ramiro absorbió el humo, sus facciones reflejaron hondo placer.

Geralsina lo contemplaba impasible, con cierta dulzura... Comenzó a percibir un desajuste en sus sentimientos, una persistente declinación de las fuerzas ignotas que se apoderaron de su entendimiento. Su sensibilidad pasó de un umbral a otro.

Ramiro tosió, el pecho se le cerraba, tenía alguna dificultad para respirar.

-¡Deja eso! –estalló Geralsina arrancándole la pipa de la boca.

-Pero..., ¿qué sucede?

-¡Idiota, te estás envenenando!

-¿Cómo?

-Estás fumando una mezcla que te matará. Tendrás un infarto. Ven aquí.

Gerlasina tiró de uno de los brazos de Ramiro.

-Apóyate firmemente sobre tus pies –ordenó.

Ramiro obedeció y se dejó levantar. Geralsina lo colocó frente al aire acondicionado que abrió al máximo, le alcanzó una silla y lo sentó sobre ella.

-Aspira profundamente..., ¡a fondo! Muy bien..., continúa... continúa...

Abrió la ventana dejando entrar el aire nocturno. Vació el contenido de la pipa en el inodoro. Buscó dentro de uno de los cajones de la cómoda y extrajo una ampolla de vidrio. La tomó, quebró su cuello y derramó su contenido en un vaso.

-¡Bebe! Esto te servirá, ayudará a tu corazón. Por suerte no has fumado ni la cuarta parte de la mezcla, pronto reaccionarás...

Ramiro estaba demudado. No llegaba a comprender correcta

mente lo que sucedía. ¿Entonces lo había envenenado? Le dijo que lo haría y lo hizo. Hablaba en serio la muy maldita y él... ¡Qué tonto!... se había dejado envenenar. Es más, le había pedido que lo hiciera. Fue él quien quiso fumar la pipa... ¡Cuánta perversidad! Y luego, cambió de parecer, se arrepintió y lo salvó... No lograba entenderla.

Tampoco Geralsina comprendía su conducta. ¿Qué le sucedía?, ¿cómo es que hacía lo que hacía? Supo que no podía matar a Ramiro. No a él. Algo le había ocurrido aquella noche, la del ataque de epilepsia. Todavía no lograba discernirlo con claridad pero más adelante lo haría. No se arrepentía. Había obrado correctamente, de acuerdo al dictado de su naturaleza. De todas maneras, probablemente Ramiro estaba condenado. La sombra de la muerte se adivinaba en el humor acuoso de sus ojos... La otra tarde, en ese último crepúsculo había tenido esa fuerte premonición... Se la comunicaría. Quizás, después de todo, tendría alguna chance de evadirla.

Al cabo de media hora Ramiro se sentía despejado, la mente clara y la respiración normalizada le producían una sensación de reencuentro consigo, con su verdadero yo.

-Ya estás bien. Pon atención en lo que te diré... Tú y el viejo están en peligro de muerte. Debí ejecutarte y fallé. No pude hacerlo, deberé asumir mis responsabilidades. Vete inmediatamente. No te demores. ¡Por ninguna causa! ¡Tampoco por mí!... Nos encontraremos si El Destino así lo dispone, aunque lo dudo... Ayer tuve una visión... Te baleaban en un pueblucho llamado *Barranca del Burro*... y morías, pero esto no está determinado... Tienes la posibilidad de cambiar tu suerte, en ocasiones las premoniciones sirven como advertencia, en tus manos está aceptarla o no...

-No entiendo..., ¿qué decís?...

-Está muy claro, cuando regreses a Rosario no te detengas en un pueblito llamado *Barranca del Burro*. Allí te espera la muerte. ¿Entiendes? ¿Sí o no?

-Eso lo comprendo muy bien... Lo que se me escapa es tu móvil. ¿Por qué me salvaste? Ahora, digo.

-Pero, ¡qué estúpido! Te salvé porque así lo hice, tal vez para darte algo más de vida..., la muerte te acecha en *Barranca del Burro*..., quizás porque después de todo..., te ame...

-¡Geralsina!

-¡Te quise matar, imbécil! ¡Vete ya!

Todavía en estado de shock, Ramiro se fue. Dejó a Geralsina sin un saludo de despedida. Se fue pensando en la advertencia y en el hombre joven que salía del cuarto de La Nodriza. Hacia él se dirigió.

"Si Geralsina me tendió una trampa, entonces..., ¿por qué me liberó de ella?", se preguntó Ramiro. Resultaba tan desconcertante su obrar, tan contradictorio...

Ramiro contuvo la respiración. Al presionar el picaporte de bronce la puerta desbloqueó la entrada del cuarto. Dentro del contexto de un orden prolijo, tendidos sobre la cama descubrió un pantalón crema y una remera al tono. Ningún sonido. Inquieto, llegó hasta el baño, encendió la luz y entonces lo vio. El cuerpo descarnado flotaba en la bañera como el de un pescado muerto. La cabeza metida dentro de una bolsa plástica y la corbata amarilla anudada al cuello.

El rostro de Ramiro se ensombreció. Sintió un vahído y debió buscar apoyo en el marco de la puerta. Tuvo que esforzarse para recuperar el autocontrol. Aún no estaba derrotado, no se resignaría... Eso no lo podía admitir.

Regresó sobre sus pasos. Exasperado en su inquietud tomó de la cómoda el teléfono portátil, revolvió los cajones y rebuscó entre las ropas. Lo hizo apresuradamente pero con rigor. La conciencia del peligro avivó su inteligencia. Repasó mentalmente los sucesos acaecidos desde que llegó a Ciudad del Este. Durante algunos momentos se desorientó. Después, poco a poco fue creciendo en su interior un sentimiento de irritación, rápidamente trastocado en animosidad primero y en cólera después. Con mirada inquieta revisó una vez más el lugar y enseguida lo abandonó.

Necesitaba serenarse y actuar con racionalidad, aunque no estaba muy seguro de lo que pudiera significar ese concepto en las presentes circunstancias. Todo el cuerpo le dolía y se estremeció.

Con dedos temblorosos introdujo la llave en la cerradura, abrió la puerta y entró en su cuarto. Lo hizo despacio, avanzando paso a paso. El ánimo en estado de alerta.

Buscó en la mesita de luz, extrajo de las zapatillas el revólver 38 de caño corto y se lo colocó a la cintura. Descolgó el tubo del teléfono, marcó el número 9 y aguardó.

-¿Conserjería? Por favor, prepáreme la cuenta, debo partir inmediatamente... ¿Cómo?... No, el señor de la 419 se queda. Bajo en diez minutos, gracias.

No perdió un instante. La resolución con la que actuaba le sentó bien, aliviando la ansiedad que lo carcomía. Mejoró su humor. Sus labios se desentumecieron y logró sonreír, en realidad se trató de una mueca con pretensión de sonrisa. "*A contracorriente*", pronunció en voz alta. Oyó estas palabras y se reafirmó en la voluntad de combatir.

36

-¡No entiendo cómo lo dejaste escapar! -exclamó agitado El Emisario.

Geralsina lo contemplaba aparentando una tranquilidad que no tenía.

-No pude impedirlo. Estas cosas suceden, no se puede controlar todo.

-¡Lo tenías a tu disposición!

-¡No! Notó el veneno. No sé cómo lo hizo pero se dio cuenta de que la mezcla estaba emponzoñada... Es muy hábil..., y sobre todo irreductible...

-Tendremos que darle caza.

-Hace unos veinte minutos que me dejó.

-No creo que se encuentre en el hotel. Debe haber partido. Llamaré a los muchachos.

Geralsina observó al Emisario marcar los números en su celular y se mordió los labios.

37

Ramiro pagó la cuenta y entregó la llave de su automóvil.

-Por favor, que me dejen el coche en la puerta. ¿Allá está la casilla de Internet? Necesito un correo electrónico.

-Sí señor, es por ahí.

El conserje indicó con un gesto fugaz de su brazo una salita en la que varias computadoras estaban a disposición de los clientes.

"Le enviaré a Carlos mi diario vía *attach*, contiene información interesante. Si yo muero, Carlos sabrá qué hacer". Nuevamente la idea de la muerte. Le había sobrevenido en numerosas ocasiones durante estos días. Debía apartar de sí tales aprehensiones, de lo contrario ese curso de pensamientos lo conducirían hacia ella.

Marcó el *e-mail* de su amigo y escribió: "Regreso. Mañana te veré. La Nodriza fue asesinada. En el mensaje que envío por *attach* van noticias del infierno. Ramiro". Movió la flecha del *mouse* y pulsó sobre la opción: "Enviar una y dos veces".

Le pareció escuchar la voz de Geralsina diciéndole: "Los sabuesos ya están sobre tu pista. No te demores. ¡Apúrate!"

Un sentimiento cargado de angustia desgarró su palpitante corazón, atenazándolo primero y lacerándolo después.

Traían su automóvil. Apuró su paso y marchó vigorosamente a su encuentro. En su mente, los carnosos labios de Geralsina pronunciaban su nombre: "Ramiro..., date prisa..., los lobos van tras de ti", le decían.

No había comenzado el viaje y ya se sentía extenuado. Todo le parecía un delirio, una alucinación de su fatigado espíritu.

Cuando se cruzó el cinturón de seguridad sobre el pecho percibió cierto alivio, como si una miga de pan que lo atragantaba o la hiriente espina de un pez hubieran pasado por el conducto de la garganta.

38

-En dos horas nos vemos en Puerto Iguazú.

-De acuerdo -dijo Chiquito.

Mientras tanto, El Emisario y El Conejo regresaban a bordo del Mercedes. A su cargo quedaba la responsabilidad de pasar la frontera conduciendo la camioneta convertida en coche bomba.

Los tiempos se acortaron, esta percepción lo enfureció. Le disgustaba adaptarse a los hechos, a los pliegues y repliegues de la multifacética realidad. Eso implicaba una considerable pérdida de control y no lo toleraba. Necesitaba mantener la iniciativa tanto en el sexo como en la guerra. Revisó la pistola Ballester Molina calibre 45, su preferida. Un arma pesada, vieja y confiable, que le transmitía tranquilidad y cierto calor humano en un mundo terrible en el que en nadie se podía confiar.

"El periodista es un macaco mañoso. Más escurridizo que culo de novia", pensó. Apresuró los preparativos. Se abotonó la sotana y se probó una boina vasca. No le gustó. "Estoy fuera de época, los jóvenes no usan esta chotada". El de cura resultaba siempre un buen disfraz. No lo necesitaba para cruzar la frontera. Ya todo estaba acordado. Sería atendido por guardias de trato permanente con el grupo liderado por El Emisario, le franquearían el paso sin preguntas indiscretas y sin revisarlo, ni a él ni a la camioneta. Sin embargo, quiso vestirse de cura por afán de provocación y con el propósito de evaluar el efecto sorpresa. Pensó que la sotana combinaba muy bien con sus grandes ojeras de seminarista penitente y masturbador. Bostezó, ¿se adormilaba? Preparó café muy cargado, lo bebió y tomó dos aspirinas, de este modo se despejaría.

El último noticioso había pronosticado fuertes vientos e intensas lluvias para todo el noreste argentino. Una tormenta los beneficiaría considerablemente; en el caso de estallar en el término de una hora o dos, retardaría al periodista en su fuga tanto como si hubiera recibido un poderoso puñetazo en la frente.

39

Ramiro traspasó la frontera y ya en Puerto Iguazú llenó el tanque de nafta de su Peugeot 206, comió un sándwich de milanesa, bebió agua mineral y una gran taza de café.

Estaba comprometido en una huida funesta. Condujo por la carretera, proyectándose en el vasto espacio vacío, la frente ardiente, desvalido el ánimo. Así anduvo y anduvo sin clara conciencia de lo que hacía.

De pronto, lo embargó un cansancio agobiador; estacionó entonces el vehículo en la banquina, encendió las luces de posición y la baliza. Se recostó después en el asiento de su automóvil. Un dolor difuso, desparramado y disperso atormentaba su cabeza. No podía conducir en tales condiciones y decidió descansar. Sabía que de este modo produciría una demora y que ella lo aproximaba al peligro. Inexorablemente, la jauría estrecharía distancias. No estaba en su poder impedirlo, cerró los párpados y se durmió.

Su olfato de soñador recordó el aroma de veranos infantiles... Entre sueños se vio pescando en las aguas del río Paraná, allí, en el arbolado *Charigüé*. Escuchó el reclamo de sus clamores de niño y el repiqueteo de las gotas de lluvia rebotando contra techos de zinc. También descubrió los negros ojos de Geralsina fijos en él.

40

Chiquito detuvo la camioneta. En la aduana de Puerto Iguazú, El Emisario y El Conejo lo esperaban.

-El periodista pasó por aquí hace cuarenta y cinco minutos -explicó El Emisario. Nos lleva esa ventaja -agregó.

-Es poca -dijo El Conejo.

-¿Cómo seguimos? -interrogó Chiquito.

-Si es inteligente buscará refugio en la policía.

-Entonces perderá su primicia... Además, puede meterse en problemas.

-No entiendo.

-Corre el riesgo de que le adjudiquen el asesinato de La Nodriza.

-A cambio nos saca de encima.

-No tanto... Estamos en condiciones de penetrar la policía y los juzgados. También allí podemos alcanzarlo y eliminarlo.

-No será tan fácil.

-Tampoco muy difícil.

-Tiene otra alternativa.

-¿Cuál?

-Dejar la ruta principal y meterse por los caminos colaterales, perderse en el campo.

-Al principio nos desconcertaría, cierto, pero en dos o tres días podríamos localizarlo.

-Interceptémoslo en Posadas.

-Llamé y pedí colaboración. Les llevará algún tiempo organizarse y la noche es muy oscura. Probablemente consiga filtrarse - dijo El Conejo.

-¿Entonces?

-Vamos a lo nuestro. Continuamos por la ruta principal con el Mercedes y vos nos seguís.

-Mandaré motociclistas, lo buscarán, nos comunicarán cuando lo encuentren -afirmó El Conejo.

-Es buena idea.

-En cualquier momento tendremos tormenta. Hay alerta meteorológico para todo el noreste. Eso lo demorará.

-También a nosotros, Chiquito...

41

Ramiro despertó, caían las primeras gotas de lluvia. Observó su reloj de pulsera. ¡Las cuatro de la mañana! ¿Cuánto duró su sueño? No tenía idea, se había dormido agotado. Recordó el pasaje de la frontera, la despreocupación de los aduaneros y de los gendarmes, de un lado y de otro, la indiferencia en el trato. Su cara debió proclamar el espanto, sus temores reprimidos. Su estado de ánimo debió traslucirse, llamarles la atención. Sin embargo, todo fue muy formal y burocrático. La actitud muy considerada. ¿Tan bien disimuló?

Ramiro se restregó los ojos, bostezó. Palpó el 38 depositado a su lado, en el asiento del acompañante. Apagó la baliza, encendió el motor, colocó las luces largas y se desplazó con el automóvil.

Se encontraba menos tenso, recapacitó: había dejado atrás la ciudad de Posadas, conducido durante varias horas, automáticamente, atolondrado por el miedo, como ausente. Ni siquiera sabía si marchaba por el camino correcto. Estaba perdido, inmerso en la noche cerrada.

42

Geralsina se encontraba mal en su piel, de algún incierto modo ultrajada y sin posibilidad de revancha. La agobiaba una agitación sentimental que no llegaba a comprender y aunque quería desligarse de ese acoso indiscriminado que la poseía no lo lograba. Sufría una cólera retenida, persistente y porfiada que necesitaba descargar. No retuvo su impulso. Tomó la botella de *champagne* y la estrelló contra la pared.

43

Las luces de la camioneta chocaban contra la lluvia, que caía de un modo delicado y suave, lentamente, como una cortina de seda. Chiquito apagó la radio. La música que emanaba de ella desconcentraba su manejo. La visibilidad disminuía en la medida en que la cortina de agua adquiría densidad y aunque en la carretera circulaban muy pocos vehículos la sensación de inseguridad se acrecentaba.

"Durante la tormenta será muy peligroso conducir la 4x4. Nos estamos equivocando. Nos dejamos presionar por las circunstancias... Eso no me gusta... Es cierto, El Caudillo quiere anunciar su deserción, no se presentará a la segunda vuelta... Y el periodista, ¿dónde se ha metido el maldito?"

La lluvia golpeaba con fuerza la camioneta, Chiquito redujo la velocidad. Al hacerlo percibió la intermitente luz de una baliza. Alguien estaba estacionado sobre el borde del camino. "¡Qué irresponsabilidad! ¡Cualquiera que pase se lo lleva puesto!", pensó. "Pero, es el Mercedes... El Conejo me hace señas... Algo ocurrió"...

El Conejo agitaba sus brazos dando pequeños saltos.

-Pará, pará...

-¿Qué les pasa?

-No sabemos, el auto se detuvo.

-¿Tienen combustible?

-Más de medio tanque.

-Tal vez se mojaron los cables.

-¡No en un modelo nuevo! -interrumpió molesto El Conejo-,

terminá con tus diagnósticos. Dejamos el Mercedes y seguimos con vos -añadió.

-Es peligroso dejarlo ahí, puede provocar un accidente.

-¡No vamos a preocuparnos por eso!

El Emisario abandonó el automóvil y se acercó.

-¡Estamos meados por los perros! -declaró.

-¡Más bien mojados por la lluvia! Suban -dijo Chiquito dándoles paso.

-¡Estoy harto! -exclamó El Emisario.

El Conejo asintió y dijo:

-Yo también pero no hay otra. Debemos continuar... La prioridad es eliminar al periodista e inmediatamente volar al Oponente.

-Las cosas se complican -anunció Chiquito.

-Siempre es así.

-Pero no tanto.

-¿Cuánto es tanto? No seas mariquita, a llorar a otra parte... ¡Vamos! -ordenó El Conejo.

44

Estaba en un atolladero, ¿cómo salir? Se había entregado al pánico, dejado llevar por ese temor ansioso y vehemente que le inspiró sorpresa y horror. No supo muy bien lo que hacía, en realidad no tuvo conciencia de su conducta, actuó instintivamente y esa actitud..., ¿fue inducida por los efectos secundarios de la droga? Imposible tanta perversidad y eficacia... Hacerle fumar aquella pipa cargada con la mezcla mortal, desestabilizarlo emocionalmente, liberarlo de la trampa, para volverlo a encerrar en otra en la que sería más difícil relacionar víctima y victimario...

La lluvia arreciaba flagelando al Peugeot 206 una y otra vez. El viento soplaba con intensidad, golpeaba el costado derecho del vehículo, desviándolo, amenazándolo con sacarlo de la carretera.

Dentro de la plena oscuridad solamente se veía el resplandor de las luces del coche. Avanzaba muy lentamente, a unos veinte kilómetros por hora. Le parecía muy peligroso detenerse, fácilmente cualquier vehículo lo podría llevar por delante. Escaso era el tránsito. Pero alguno había, la irradiación y el centelleo de luces fugaces trasladándose a lo largo de la ruta lo hacía suponer.

"El automóvil es nuevo, menos mal. Hasta el momento no ha entrado agua. Espero que tampoco en el motor o en los frenos. ¡Estoy como en un buque en plena tempestad marina. ¡No! Como sumergido en el mar, así estoy, dentro de un submarino".

Nuevamente perdió las referencias. Ignoraba dónde se encontraba, le ardían los ojos y sentía el cuello comprimido... ¿Qué sería de sus perseguidores? Si andaban tras él, en la carretera, estarían sometidos al mismo tormento. Este pensamiento lo hizo sonreír, les daría trabajo, muchísimo... Deberían esforzarse al máximo para capturarlo. No sería una presa que se deja atrapar con facilidad. "Lucharé con todas mis fuerzas, me costará remontar esta situación".

En su encuentro con Geralsina había dejado parte de sí mismo, algo en él había cambiado definitivamente pero no conseguía saber qué. Un algo que ocupó en su mente parte de lo que en ella se borró. ¿En su mente?... ¿O en su afectividad?... ¿Hasta dónde pueden separarse sentimiento e inteligencia? No era el momento de plantearse preguntas que probablemente no tenían respuestas... Entonces era el momento..., ¿de qué? De huir, por supuesto, de seguir adelante, de salir adelante... Su situación era mala e intuía que sería peor.

Comenzó a clarear. Miró su reloj, casi las siete de la mañana. Rápidamente, como galopando a su alrededor, la luminosidad se extendió por los cuatro puntos cardinales. Había más visibilidad ahora, esforzándose veía hasta la distancia de un metro, quizá un poco más. Se le ocurrió que la comparación con el submarino no era del todo correcta. Se incrustaba en el agua, como si acuatizara un hidroavión de motores poderosos que levantara un techo de chorros de agua.

45

-¡Estamos locos, rematadamente locos! -exclamó El Emisario.
  -¡Más despacio! No se ve ni a noventa centímetros...
  -No podemos parar, ni seguir..., ¿qué hacemos? -dijo Chiquito.

-Ni paramos, ni seguimos... Continuamos... -afirmó El Conejo.

-Eso es seguir.

-No señor, es proseguir, continuar.

-¿Viste? Estamos enloqueciendo. El Conejo dice disparates - afirmó El Emisario.

-Digo la verdad... A ver, ¿qué hacemos?

-¿Cuándo?

-¡Ahora!

-Marchamos a treinta y cinco kilómetros por hora y aun esa velocidad es peligrosa, más considerando la carga que llevamos.

-Proseguimos querés decir.

-Sí, sí...

-El otro, ¿qué hará?

-Lo mismo que nosotros, ¿qué otra cosa?

-Quizás encontró un refugio.

-No lo creo... No durante la noche. Posiblemente esté medio muerto de cansancio.

-Como yo, me derrito, no siento los brazos, ni las piernas, ni las manos, estoy todo flojo, derretido... -dijo Chiquito.

-Apenas tengamos una oportunidad nos detenemos y descansamos -aseguró El Emisario.

-El periodista se nos distanciará.

-No lo creo, estará como nosotros, agotado... Más consumido, después de todo el tipo tiene que aguantar el miedo que le metemos.

-Sí, el perseguido es él -sentenció Chiquito.

46

Metido en la tempestad, Ramiro buscaba una salida. Escudriñaba entre el viento, el agua y el reflejo de relámpagos lejanos. No daba más. Avanzaba muy lentamente. Percibió la difusa forma de un anuncio, un cartel. Se aproximó y consiguió leer:

BARRANCA DEL...

Las palabras se interrumpían. Al cuadrado de madera, quebrado, le faltaba la parte que contenía la continuación del nombre. Encontró un camino a su derecha. Lo seguiría, seguramente lo conduciría hacia un poblado y hallaría allí un bar, comería y bebería. Sentía sed, mucha. Luego descansaría y podría dormitar en el automóvil.

Comenzaba a girar el volante cuando recordó las palabras de Geralsina: "No te detengas en *Barranca del Burro*, un pueblucho. Si lo haces, encontrarás la muerte". "Dijo eso o algo muy parecido", pensó Ramiro.

Consternado, retomó el rumbo. El cartel decía: *Barranca del...* Seguramente continuaría con la palabra *Burro*, omitida por la rotura. No se arriesgaría, muy pronto daría con otra localidad.

O se dormía o se mareaba. Daba pequeños cabeceos. La mente turbada parecía escapársele del cerebro, la fatiga era extrema. Se arrepintió. Debió continuar con la maniobra y doblar para acceder así a Barranca del Burro sin pensar ni en la inminencia ni en la gravedad del peligro que lo acechaba.

Ya era tarde para regresar. Si lo hacía produciría una maniobra imprudente dando lugar a la posibilidad de un accidente, poniendo en juego su vida y la de otros viajeros. No había retorno, debía mantener los ojos bien abiertos. Pronto llegaría una solución, se las ingeniaría para encontrarla. El cansancio le hacía perder la noción de la duración del tiempo. Se le hinchaba la lengua en la boca, necesitaba beber...

Divisó un palo desprovisto de cuadro, parecía un anuncio. Intuyó que se trataba de un cartel destruido. La sombra de un camino se extendía más adelante. La alcanzó, una calle pedregosa se internaba en el campo. Torció el volante y el Peugeot 206 color rojo Lucifer dobló carreteando por ella.

Miró la hora en su reloj de pulsera: las nueve y doce. Cinco minutos más tarde se detuvo, exhausto, en una estación de servicio. Tomó el revólver 38 especial y descendió.

Además de la camarera y la mujer que se ocupaba de la caja registradora, tres hombres jóvenes se encontraban allí.

Ramiro supuso que se trataba de conductores de camiones o del personal de servicio de la estación.

Se acercó a una mesa, separó una silla y se desparramó sobre el asiento, el rostro desencajado, el cuerpo dolorido.

-Buenos días, ¿anda por la ruta con esta tormenta?

-No pude hacer otra cosa, la tempestad me sorprendió en la carretera.

-Hay que estar loco para viajar con este tiempo... Perdone, no quise decir...

-Está bien -interrumpió Ramiro, entiendo.

-Se lo ve muy cansado.

-Sí, sí, por favor, tráigame agua mineral, la botella de un litro... y comida, cualquier cosa.

-Tenemos agua mineral sin gas y si tiene hambre hice una tarta de verduras y huevos. Todo el mundo dice que es muy sabrosa.

-Traiga dos porciones.

-Muy bien, ¿algo más?

-Por ahora no, gracias.

La moza fue a retirar el pedido. Los tres hombres lo miraban atentamente. Murmuraban entre sí.

Ramiro hurgó en sus bolsillos, no encontraba la pipa, la había olvidado en el coche. Sintió el impulso de levantarse pero estaba extenuado. Se resignaría a no fumar. Se dejó estar así, con la mirada perdida.

-Aquí tiene -dijo la muchacha.

-¡¿Eh?! Gracias.

Ramiro bebió casi de una sola vez medio litro de agua. Le latían las sienes. La tarta le gustó. Pensó que la muchacha cocinaba muy bien. Comió con placer.

-Y, ¿qué le pareció? -preguntó la moza.

-Muy buena, la felicito.

-Gracias -respondió ella halagada.

-Dígame...

-¿Sí?...

-¿Dónde estoy? ¿Cómo se llama este pueblo?

-El pueblo se encuentra tres kilómetros más adelante.

-Sí, pero, ¿qué nombre tiene?

-BARRANCA DEL BURRO... Nombre raro, ¿no?

Ramiro empalideció, quedó estupefacto.

-¿Qué le pasa? ¿Se siente mal? Parece que hubiera visto al Diablo...

-¡No puede llamarse de ese modo! A unos veinte kilómetros

encontré un anuncio que decía *Barranca del...* El resto del nombre no figuraba...

-Ese pueblo se llama *Barranca del Gallo*. Aquí estamos en BARRANCA DEL BURRO. Le traeré café, le hará bien. La casa invita... Mire que viajar con esta tormenta...

La camarera se retiró.

Ramiro se llevó la mano derecha al 38. El gesto lo ayudó a recomponerse.

Escuchó el fuerte batir de una puerta, un soplo de viento penetró el recinto. Tres hombres lo enfrentaban: El Emisario, un cura, el mismo joven que vio dejar el cuarto de La Nodriza y un cincuentón calvo, bajo y regordete con cara de conejo.

Manoteó el revólver que llevaba en la cintura. El cura ya estaba disparando. Vio el fuego del estampido y sintió el impacto de las balas.

"Tengo frío, mucho frío..., ¿y este olor?..., ¡qué penetrante!...,, desparrama un hedor agridulce... ¿quiénes son los que están a mi lado?..., me arde el pecho, como si me hubiera quemado..., luz clara..., muy clara..., enceguecedora luz..., me encandila..., ¿dónde estoy?..., ¿qué me sucede?..., respiro con mucha dificultad..., aire... aire..., ¡ah!..., mis pulmones se llenan de aire..., esas caras..., ¿de quiénes son?..., ése es el rostro de mi padre..., me sonríe ¡qué brazos delgados tiene!..., ¿qué significa ese gesto que hace?..., "no te desesperes...", parece decir..., ¡qué asqueroso olor!..., estoy entre las sombras..., un río..., ancho muy ancho, de aguas doradas..., ¿el Paraná?..., sí, es el Paraná..., hermoso en su inmensidad..., un líquido viscoso me envuelve..., ¡¿qué horrible olor?!..., hay un muro cubierto de hiedras y una columna enrojecida de sangre..., escucho el murmullo de voces lejanas y risas de niños..., veo un plato humeante cargado de hierbas, ahora, y el bello rostro de una mujer negra, de ojos intensos..., Geralsina..., ese es su nombre..., el nombre de la bruja de la Triple Frontera"... -deliró Ramiro.

Se desangraba, tuvo conciencia de ello. Durante uno o dos minutos recordó los detalles de su última aventura. La vida se terminaba y con ella las imágenes de Geralsina se le escapaban también.

47

Atónitos y asombrados los parroquianos y las dos mujeres miraban el cuerpo yacente, al cura asesino y a los hombres que lo acompañaban.

-¡Qué hiciste! -exclamó El Emisario.

-Terminé con un problema.

-¡Vámonos! -gritó El Conejo.

-Quiero descansar.

-¡No aquí! ¡Estás loco, acabás de matar a un hombre!

Los tres personajes se escabulleron, subieron a la camioneta y se perdieron en la tempestad.

48

Geralsina se incorporó en su lecho de la casa verde del Paraguay. Angustiada y estremecida, el cuerpo convulso. El futuro y el presente transmutados en existencia precaria. Vio a Ramiro liberado de su esclavitud carnal y a ella obligada a ausentarse. Su mente se obnubilaba. Sufría un ataque despiadado de epilepsia.

49

Carlos conectó la computadora. Aguardó unos momentos, el sistema cobró vida y se introdujo en Internet. Marcó el anuncio de *Webmail*, ingresó luego el nombre de su correo electrónico y digitó la clave.

Se mostró la pantalla de *Bandeja de Entrada*. Predominaba el correo basura. Propaganda de todo tipo: ofertas para adelgazar, para aumentar el tamaño del pene, señoritas y señoritos que vendían servicios sexuales, asegurando su capacitación para inducir la obtención de orgasmos trascendentales y cósmicos, bases de datos y notificaciones de premios ganados en sorteos internacionales. Entonces lo vio:

"*Noticias del NEA. Regreso. Mañana te veré. La Nodriza fue*

asesinada En el mensaje que envío por attach van noticias del in-
fierno. Ramiro."

"¡La Nodriza asesinada! ¡Un mensaje del Infierno! ¡Y la soli-
citud de consultar el *attach*!" Lo hizo. Abrió un documento de
quince páginas, ¿un diario?

"Segundo día en Ciudad del Este, 21.00 horas.

*Una ciudad bazar. En ella la vida gira en torno a la compra
y a la venta. Los modernos shopping center de lujo, elegantes y
asépticos, instalados en la avenida San Ecán contrastan violenta-
mente con los locales de la terminal de ómnibus y sus alrededores
y los de las inmediaciones del puerto en los que persiste un bulli-
cio de feria.*

*Allí la gente circula inquieta en todas direcciones mientras
los comerciantes vocean sus mercancías y los niños alborotados
disputan las monedas solicitadas, corretean sin rumbo y se enca-
raman sobre cajones de madera abandonados.*

*Al escribir estas líneas tomo conciencia de que estoy redac-
tando mi diario, ¿por qué lo hago?, ¿por qué se escribe un diario?
Creo que Dostoyevsky elaboró una respuesta ingeniosa y profunda, lamentablemente no la recuerdo. Kierkegaard lo hizo por varios motivos: el interés psicológico que lo impulsaba a indagar sus
reacciones ante la pasión amorosa, el deseo de expresar sus arti-
lugios de seductor y el intento de analizar las proyecciones meta-
físicas de un deseo carnal insatisfecho.*

*El registro de lo íntimo tiene mucho de narcisismo, de cen-
trada autocomplacencia y arrogancia. En fin, confieso la imposibilidad de encontrar una argumentación convincente, ¿debo
fundamentarlo todo? No lo creo. Me dejo conducir por un impulso interior y la necesidad de poner en palabras mis reflexiones
sobre esta aventura. Quizás el esfuerzo presente un aspecto
práctico: comprender con mayor claridad las motivaciones de las
conductas de los personajes con los que me relaciono, sus tácti-
cas y estrategias.*

*La Nodriza, por ejemplo, se encuentra muy inquieto e irrita-
ble. Lleno de dudas. Me evade. Desaparece durante varias horas.
Anda por los rincones más sórdidos de la ciudad investigando. In-*

135

terroga, indaga y verifica. Extrae información que le permitirá es-
bozar un cuadro más acabado y preciso de la situación.

Fue interesante la entrevista a Chusak. Y más aún los datos
que nos conseguirá si cumple su promesa de ayudarnos. Se trata
de un tipo pintoresco, bastante maníaco y algo mitómano. Esa es
la impresión que me dio, ¿será confiable?

Acepto que las cataratas me impactaron. Me introduzco aquí
en otro dominio, el de la naturaleza. Su magnificencia impone, me
habla de una instancia en la que la presencia de lo divino se intuye.
Tanta armonía y belleza no pueden subsistir sino dentro de un equi-
librio esencial que, de algún modo, impone la existencia de un orden
previo. Sin embargo, ¿hasta qué punto es esto así? El hombre es el
único animal que destruye la naturaleza de manera sistemática y
persistente. Deforesta los bosques y devasta las selvas, contamina
las aguas de ríos, mares y lagos y hasta descarga basura en el es-
pacio exterior, ¿es ciego acaso? No se trata de actos que expresan
rebeldía metafísica sino de codicia insaciable y depredadora.

Es curioso como se hilvanan los pensamientos, se asocian
entre sí como las cuentas de un collar. Comienzo reflexionando so-
bre Ciudad del Este y llego a mencionar el tema de la divinidad, de
su naturaleza.

22.00 horas.
Dejo de escribir por el momento, tomaré una ducha y luego
bajaré al bar del hotel.

02.00 horas.
Recomienzo... He tenido una experiencia a la que no sé có-
mo calificar. He conocido a Geralsina y me ha sucedido algo ex-
traordinario. Esa es la palabra indicada para calificar tal expe-
riencia... Extraordinaria.

La mujer cautiva. Emana una sensualidad envolvente de te-
la de araña. Huele a nenúfares. Su belleza paraliza, reduce a la
impotencia y ofusca. Todo de una vez y de distinta manera.

Sentí su presencia de inmediato, en el mismo momento en el
que entré al bar. Concentraba la atención de la concurrencia que
parecía pendiente de ella. Cuando decidí abordarla, supe que no
resistiría su encanto. Fue ella quien en realidad lo exigió con su
obstinada mirada puesta en mí.

136

El contacto de su cuerpo exaspera y apasiona. Tanta vida concentrada, tanto ardor palpitante reclama y somete. También enajena.

Bailar con ella fue un modo de hacer el amor. Quizás de amarnos. Un intercambio voraz y estremecido ausente de ternura. Fue durante el frenesí cuando se desplomó. La espuma que brotaba de la boca me impresionó. Las convulsiones no fueron violentas, sólo leves sacudidas que dibujaron una suerte de aura en torno a la cabeza. Revuelo entre el público alborotado a su alrededor. Ojos y pensamientos que me reprochaban adjudicándome la culpa de lo acontecido.

El hombre para quien trabaja impuso su presencia: "No es grave. De tanto en tanto le sobrevienen estos desmayos. Tranquilícese. Tómese algo fuerte. Yo me encargo", indicó. Ordenó traer al médico del hotel. Obligó a los curiosos a apartarse y se arrodilló a su lado.

"Este debe ser El Emisario", pensé.

Después de revisarla, el médico envió por una ambulancia. "Se repondrá pronto. Necesita descansar, aliviar la tensión de su cerebro. Estará mejor atendida en el sanatorio, conviene internarla", anunció.

Cuando terminaba mi segundo whisky, Geralsina fue colocada dentro de una camilla y cargada en la ambulancia. El Emisario partió con ella.

Entonces regresé a mi cuarto, busqué mi vieja notebook *y recomencé mi diario.*

A las 00.30 horas pregunté en la conserjería por La Nodriza. Se me informó que no había regresado. Seguramente ya lo hizo. No intentó comunicarse conmigo, esto me parece raro. Mañana temprano lo confrontaré.

¿Qué clase de conspiradores son estos? Se muestran tan apremiados por sus problemas personales..., ¿les quedarán disposición y tiempo para complotar?

¿Por qué se derrumbó Geralsina? A causa del ataque de epilepsia. Entonces..., ¿qué se lo provocó, precisamente en ese instante?

¿Por qué emprendí esta aventura?, ¿para evadirme de esa angustia que día a día me corroe? Si es así, todavía no lo he conseguido. El sentimiento de opresión, de sobrecarga interior se ali-

vió mucho, es cierto. En los últimos tiempos me sumí en una profunda amargura, aunque no llegué a caer en la desesperación, ¿o sí? Tal vez lo que llamo fuerza de voluntad no sea sino un aspecto de mi temperamento impetuoso. "A contracorriente" es mi lema, lo llevo inscripto en el anillo. Un momento de negación que predispone a la crítica, que la hace posible.

La sociedad no favorece a personalidades como la mía. Las maltrata e intenta hacerlas a un lado. No tanto porque se crea juzgada. Es la certeza de la condena anticipada lo que los inquieta y enfurece. "¿Quién es usted para hacernos ver nuestra propia vileza?, ¿quién para sentenciarnos?"

En verdad, ¿quién soy? Sólo un necio sin esperanza en la bondad de los hombres que no soporta la fatuidad de sus deseos banales e infantiles, de sus estúpidas ambiciones de poder y de riqueza, irritado por la cobardía moral de aquellas vidas resignadas a la aceptación del orden establecido y a las comodidades pequeñoburguesas.

Comprendo que soy insoportable, intratable y petulante. ¿Me falta disposición para la generosidad? ¿Nada más que desprecio y desdén hay en mí?"

Carlos interrumpió la lectura. "No hay duda: Ramiro es un hombre torturado y sufriente", se dijo. Nunca pensó que a tal extremo. Sí, era duro y exigente con los demás por las mismas razones que lo era también con él mismo. Tenía en muy alta estima el concepto de *Humanidad*. Hombres y mujeres conformaban la especie que pisaba el escalón más alto de la evolución de la vida: una anticipación de la divinidad.

Evidentemente, tal modelo no podía resistir la comparación con lo real. Una mente tan perceptiva y lúcida como la de Ramiro debería darse cuenta de ello, posiblemente lo hacía, ¿entonces? Incrustada en los recovecos de su inconsciente, en lo más hondo de su personalidad, vibraba esa exigencia de la que no conseguía deshacerse.

Ciertamente, esa culpa persistente que lo agobiaba mantenía una relación directa con este aspecto de su carácter. Se autoincriminaba. Se declaraba en grave falta y se condenaba.

Su amigo poseía una personalidad extremadamente compleja, esto ya lo sabía, una personalidad verdaderamente dramática.

Regresaron a su memoria recuerdos del exilio mexicano que compartió con Ramiro. Viajaban en un Volkswagen escarabajo que él conducía por los caminos de cornisa del Estado de Veracruz. Marchaban hacia Quetzalán, una ciudad hermosísima perdida entre las montañas. La conducción muy dificultosa demandaba concentración. La tarde, intermitentemente lluviosa, tornaba resbaladiza y peligrosa la ruta. Había más tránsito de vehículos que el esperado. Automóviles y camiones desaparecían entre las nubes atrapadas por los vericuetos de las montañas.

En México se conducía bastante alocadamente. Recordaba unos carteles instalados repetidamente en varios lugares de la autopista que une la ciudad de México con la de Puebla. En ellos se leía: "Los vehículos sin freno tomen la línea amarilla". Sorprendente anuncio. Institucionalizaba el tránsito con frenos deficientes —o sin ellos— por la autopista, una grave falta. Se suponía que ante la imposibilidad de detener los vehículos, los que siguieran la línea amarilla estarían situándose en una trayectoria que los sacase de la ruta, asentándolos sobre un terraplén salvador.

En dos o tres ocasiones el Volkswagen derrapó peligrosamente, tocando los bordes del precipicio. Esperaba un reproche de Ramiro, pero éste no se inmutó. Ni siquiera lo miró, continuó observando fijamente el camino.

Iban en descenso, El precipicio se tornó menos escarpado, paulatinamente tomó un ángulo de casi cuarenta y cinco grados. Una vieja *pick up* que los precedía realizó una brusca maniobra y se desbarrancó.

Automáticamente, Carlos buscó un lugar seguro donde estacionar el automóvil. Asombrado y aturdido, no se dio cuenta de la rápida reacción de Ramiro, quien como podía bajaba por la montaña en dirección al accidente.

Al percatarse que su compañero no estaba a su lado, Carlos se acercó al abismo. La camioneta estaba encastrada entre dos árboles robustos y una inmensa roca, unos ciento veinte metros abajo.

Ramiro se deslizaba sobre sus glúteos impulsándose por la fuerza de gravedad. Daba tumbos, se incorporaba y se arrastraba acercándose al vehículo accidentado.

De pronto el tanque del combustible estalla. Comienza el incendio. Ramiro lo nota y acelera su descenso. Las llamas llegan a la cabina. Ramiro también llega, se quita el suéter y lo utiliza como protección para presionar la manija de la puerta. Se esfuerza pero no logra abrirla. Lo intenta una, dos y tres veces. Las llamas parecen rodearlo. Por fin consigue su propósito. La chapa abollada cede y Ramiro retira un cuerpo. Lo aleja, arrastrándolo, del incendio. El fuego alcanza los árboles, que arden con la *pick up*.

Nunca se perdonó Ramiro la culpa que experimentaba por no rescatar el otro cuerpo. Racionalmente resultaba imposible hacerlo y esto lo sabía. Sin embargo, no conseguía apartar de sí esa idea que lo obsesionaba. El cuerpo liberado era el de una mujer, joven y hermosa. Lamentablemente había quedado cuadripléjica. La mente lúcida y paralizada desde el cuello hacia abajo. Esto también lo llenó de culpa, pensaba que había hecho mal en salvarle la vida, puesto que una existencia tan restringida no era digna de vivirse.

Ramiro salió dañado de la aventura, con quemaduras de importancia en la oreja izquierda, que tuvo que operarse cuatro veces, el brazo izquierdo y una porción de la parte izquierda de la espalda. Conservaba en su piel, diluidas cicatrices de su hazaña.

El recuerdo de su amigo lo angustió. ¿Caería en una trampa mortal? Intuyó que su vida se encontraba en peligro. Se angustió y derramó algunas lágrimas. Desde la muerte de Virginia, su trémula amante carbonizada en el incendio de aquel *cabaret*, no lloraba.

Se incorporó y caminó hasta el aparador ubicado en la sala comedor. Abrió sus puertas y tomó una botella y su correspondiente copa, sirviéndose una medida generosa de coñac *Napoleón*.

Llegó hasta su viejo tocadiscos. "Debo comprarme un equipo de música moderno y compacto. No puede ser que un melómano como yo no tenga dispositivo para CD. Mañana mismo me ocuparé de eso", pensó. Hurgó entre los discos y eligió uno de *Sonny Boy Williamson*, un eximio ejecutante de armónica, instrumento que él mismo tocaba bastante bien. "Su estilo de *blues* me levantará el ánimo", dijo en voz alta. Colocó el *long play* y se dispuso a escucharlo con atención.

Absorto en la música, admiró el modo en el que *Sonny Boy bluseaba* las notas, aplastándolas para producir ese arrastre tan característico del *blues*. Envidiaba su técnica y por más que la imitaba, el *bluseo* le salía de un modo forzado y nada natural y esto disminuía la calidad del sonido emitido.

Carlos regresó a la computadora, tomó el *mouse* y corrió la página electrónica.

"Mañana visitaré a Geralsina en el sanatorio. Le llevaré rosas rojas. Ése es el color que va con ella, con el color de su piel y la fogosidad de su alma.

Tengo además entrevistas con dos colegas. Uno emite un programa de actualidades sociopolíticas por radio. El otro es analista político como yo y escribe en el principal periódico local. De modo que estaré muy ocupado. Quiero saber quiénes son los autores ideológicos del "complot", quiénes perpetrarán el atentado y, por supuesto, quiero conocer el programa operativo. Debo obtener alguna prueba tangible, algo más que indicios. Si lo consigo me doy por satisfecho.

Dudo en comenzar el relato por orden cronológico, siguiendo el desarrollo de los sucesos del día paso a paso, o según la importancia y la jerarquía que yo mismo les impongo. Tal vez sea conveniente describirlos en la secuencia con la que afloran en mi recuerdo. De este modo se producirá, necesariamente, un proceso de filtración que bloqueará lo accesorio y dejará pasar lo fundamental.

Ingerí un gratificante desayuno tropical con abundancia de jugos y frutas dispuestos con elegancia sobre la mesa del bar del hotel. Luego llamé a La Nodriza, estaba en su habitación pero no respondió al teléfono. El viejo tiene un sueño pesado que lo sume en la más absoluta inmovilidad.

Tercer día en Ciudad del Este, 20.00 horas.

Decidí comprar una docena de rosas rojas con el propósito de halagar a Geralsina. No fue fácil conseguir una buena florería capaz de satisfacer mi medida, caprichosa, de exigencia.

Hacia las 10.30 de la mañana arribé al sanatorio. Pregunté por el estado de salud de Geralsina. Me informaron que se reponía muy bien. Quise visitarla, fue consultada y mi intento rechazado con elegancia. "La señorita le agradece mucho su visita y le pide disculpas. No desea que la vea usted como a una enferma, postrada en la cama. No quiere dejarle esa impresión. Le encantaron las flores. Usted es una persona delicada y tierna y ella así lo percibe. Le solicita paciencia. Ella se comunicará con usted. Gracias

por las flores, son muy lindas", dijo la enfermera, transmitiéndo-
me la respuesta de Geralsina.

Por más que uno tenga la sensibilidad dura, calcárea, la en-
fermedad perturba. Me refiero a la de los otros, la nuestra nos
devasta. Nos habla de una morbosa insuficiencia vital, una pro-
porción de error en la naturaleza que racional o irracionalmente
nos aparta de la corriente de la vida, insertándonos en una situa-
ción de espera y de incertidumbre en la que ya no somos los mis-
mos. Hemos perdido la identidad, de ahora en más somos pacien-
tes. Seres mutilados y dolientes que deben aceptar su padecer con
resignación, disciplinarse en el tratamiento, curarse y retomar el
rumbo perdido. Cierto es, mucho depende de la posición que ocu-
pemos en la escala de gravedad de la afección que nos aqueja. De
todas maneras, la propiedad esencial de la enfermedad es la de di-
sociar nuestra naturaleza más íntima, desestabilizarnos y empu-
jarnos con mayor o menor velocidad hacia la muerte.

El segundo colega que vi parecía un viejo papagayo, a pe-
sar de no tener más de cuarenta y cinco años, se encontraba muy
enfermo.

-Es el cáncer de próstata lo que me está matando. No lo de-
jaré tranquilo. Me está ganando pero sigo en la lucha, lo ataco con
rayos y quimioterapia y el muy maldito como si nada -dijo.

-Lo siento mucho.

Me observó con ojos cargados de ironía y tristeza.

-Hice mis averiguaciones. Un jefe de sicarios, argentino y
cincuentón, está metido en el asunto. Tal vez lo haya visto o lo
vea, mide un metro setenta, es algo corpulento, calvo con coroni-
lla, ojos siempre irritados y rojizos, el labio superior estrecho es
incapaz de cubrir los dientes que sobresalen como los de un cone-
jo. Precisamente por esos rasgos se le conoce como El Conejo. Se
ignora su apellido, usa pasaportes de diferentes nacionalidades y
se lo vincula a cuanto negocio sucio, muy sucio, anda dando vuel-
tas por aquí.

-¿Conoce a otras personas que se relacionen con él, que coo-
peren con él en esta clase de trabajos?

-Hay un pistolero que lo secunda, diría que es su lugarte-
niente. Un tipo joven, buen mozo y de rasgos delicados, homo-
sexual.

-¿Sabe su nombre?

-*Tiene varios y muchos apodos pero el más común es el de Chiquito.*

-*¿Qué otro dato me puede dar?*

El hombre tosió áspera y estentóreamente, como si tuviera los bronquios deshilachados.

-*Es un tipo bravo, va siempre adelante –dijo cuando pudo hablar.*

-*No se detiene ante nada ni siente escrúpulos, ¿es eso?*

-*Algo así. Parece que destripó a dos chinos, pistoleros como él. Se cuenta que los sorprendió en una encerrona. Sacó su enorme pistola calibre 45 y no pudo disparar, se le trabó. Antes de que los chinos lograran alcanzar sus armas, Chiquito arrojó la suya y de la nada blandió una bayoneta de fusil americano. En un abrir y cerrar de ojos le abrió la yugular a uno de los chinos y al otro le atravesó el corazón. Ya caídos, les clavó varias veces la bayoneta en el vientre, a los dos. Con saña.*

-*¿Por qué fue todo eso?, ¿qué lo motivó?*

-*En estos casos las razones son oscuras y complejas. Posiblemente hubo una reyerta por dinero ganado en el tráfico de narcóticos y también la disputa por un joven chino, casi adolescente, muy bonito y muy mariconcito.*

-*¿Fue amante de uno de los chinos?*

-*¡De los dos!*

-*¿Tenían un "ménage a trois"?*

-*Exactamente.*

-*¿Entonces?*

-*Chiquito conoció al chinito y se enamoró y éste también de él. El joven deshizo el arreglo y se fue con su nuevo amor.*

-*Lo que debió enfurecer a sus amantes, ¿verdad?*

-*Ex amantes. Así es, anduvieron tras el joven y cuando lo encontraron le dieron una paliza terrible. Lo mandaron al hospital.*

-*¿Y el dinero de la droga, cómo entra en el cuadro?*

-*Cuando los abandonó, el muchacho se llevó consigo una parte importante del dinero que los chinos ganaron en una entrega.*

-*¿Los robó?*

Mi interlocutor tuvo otro acceso de tos. Me sorprendía esa tos, parecía síntoma de un cáncer de pulmón, no la podía relacionar con el de próstata. No razonablemente.

-Disculpe, disculpe... Esta tos, no la puedo controlar... Ah, sí, el chinito hurtó el dinero para regalárselo a Chiquito.

-Qué raro que no mataron al muchacho. Tengo entendido que esas cosas entre narcos se pagan con la muerte.

-Puede ser, puede ser... Tal vez el recuerdo de ardores pasados contuvo las ansias asesinas de los chinos..., ¡vaya uno a saber!

-Entonces lo de Chiquito fue una venganza.

-En cierto modo sí... También una acción de anticipación. Sabría que vendrían por él y les ganó de mano.

-Los emboscó y los liquidó antes que los chinos se lo llevaran puesto.

-Puede verse de esa manera.

-Sí, Chiquito es muy decidido y peligroso.

-Y un gran táctico. Sabe anticiparse al enemigo.

-¿Qué fue del chinito?

-Después de pasar dos meses en un hospital, fue amante de Chiquito. La relación duró un año o algo más. Finalmente el muchacho se marchó a Brasil.

-¿Será cierto? ¿No se habrá convertido en otra víctima de Chiquito?

-No. Alguien lo vio hace unos meses. Me informó que dirige un prostíbulo de hombres en São Paulo.

-¿Qué me puede informar sobre El Conejo?

-Muy poco más de lo que ya le dije. Dicen que en sus venas corre sangre de pescado.

-¿De pescado?

-Sangre fría, quiero decir. Aunque a veces le bulle la cabeza. Se cuenta que despezonó a un travesti con los dientes porque le tocó la pinchila.

-¿Usted lo cree?

-Mire, con esta clase de gente nunca se sabe bien qué creer o no. La anécdota es la siguiente. Acompañaba a Chiquito, que quiso ver el show montado en un bar para gays llamado La Pérgola. Una vez allí, un par de travestis conocidos de Chiquito se sentaron a la mesa que ocupaba con El Conejo. Éste se incomodó pero aceptó la situación por su amigo. El travesti que se ubicó junto al Conejo, todo una dama dragona, comenzó a ponerse pesado. Le acariciaba las manos y las orejas y en fin, usted sabe... El Conejo se molestó y lo hizo saber. *"No los fastidies más, preciosura. Éste es capaz de comerse tus pezones"*, dijo Chiquito a la reina dragona. *Ésta no tomó en serio la advertencia, siguió con sus avances y le tocó la pinchila.*

El Conejo reaccionó como una fiera, le bajó los breteles del vestido y del corpiño a la dama. Dos tetas asiliconadas quedaron flotando en el aire. El Conejo clavó sus incisos filosos en uno y otro pezón para después escupirlos sobre la pista de baile.

-¡Que locura!

-Lo sé. En fin, es lo que se cuenta.

-¡Eso no es tener sangre fría!

-Depende de cómo se lo mire. El que indirectamente hizo la sugerencia de despezonamiento fue Chiquito. ¡Hay que tener sangre fría para ponerla en práctica!

El viejo papagayo tuvo otro acceso de tos desgarrada. Me dio pena. Esperé a que se repusiera y le anuncié.

-Me voy. No deseo molestarlo más. Me ha sido muy útil.

-No, faltaba más... Gracias por la visita. Vuelva cuando quiera... Si consigo información importante lo llamo a usted.

-Gracias. Adiós.

Este fue el tenor de nuestra conversación. Supongo que la he descripto con objetividad..., aunque eso de la objetividad es todo un dilema. Un concepto que debe ser tomado entre comillas.

El primer colega al que visité jugaba al ajedrez desafiando a un juego computarizado.

-No soy Kasparov, ni esta computadora es "Deep Blue". Sin embargo, desarrollamos un juego excelente. Hasta el momento he ganado en todos los niveles de juego y van quince de veinte que tiene el procesador automático.

-¡Lo felicito!

-Gracias..., ¿juega usted ajedrez?

Estuve a punto de decirle que sí y bastante bien, además. Tal vez hubiera sido el modo más indicado para establecer una base de confianza mutua y una mejor predisposición de su parte para hacerme conocer información más o menos delicada y más o menos reservada. Pero tuve miedo de que me propusiera una partida y no era esa la intención de mi visita.

-No, para nada. Admiro a quienes lo hacen.

-¡Qué lástima! Por ahí nos echábamos una partidita.

-Siéntese.

-Gracias.

-De modo que necesita datos sobre el grupo de los argentinos.

-¿De los argentinos? Sí, si se refiere al que conforman El Emisario, El Conejo y...

-Y todos los miembros del sector del Partido, que no respira por temor a que El Caudillo se baje de la segunda vuelta... –interrumpió el colega.

-¿Son muchos?

-Siete y están reunidos en el Gran Hotel. Urden un plan para impedir que gane El Oponente. No se resignan.

-¿Tiene una idea aproximada de lo que se proponen?

-Ni ellos mismos la tienen hasta el momento, pero...

-¿Pero qué?

-Carecen de opciones. Si El Caudillo se presenta y pierde les irá muy mal. Si no se presenta, El Oponente será el próximo presidente. Por lo tanto, sólo les queda una alternativa: eliminarlo, es lo único seguro. De ese modo no correrán riesgos.

-Pero..., entonces conoce sus planes...

-No, para nada... Pero si El Emisario y El Conejo andan juntos y para el grupo la situación está como está no pueden planificar otra cosa.

-¿Tiene usted manera de enterarse de la resolución que tomen y de su programación?

-Difícil, tal vez por filtraciones e información accesoria, por ejemplo, El Conejo se puso en contacto con El Sirio, un conocido traficante de armas, su especialidad es el contrabando de explosivos... ¿Qué le dice eso?

-¡Que proyectan utilizar explosivos!

-Exacto y..., ¿con qué propósito?

-Para asesinar al Oponente.

-Muy bien, ¿ve usted? Si se formulan las preguntas correctas entonces las respuestas se transforman en inferencias razonablemente fundamentadas.

-Necesitamos conseguir otros indicios que la apoyen para obtener mayor grado de certeza.

-Seguramente, de todos modos poseemos indicadores bastantes sólidos para establecer hipótesis.

-Hay muchas variantes de explosivos y se pueden utilizar de mil maneras diferentes.

-Por lo tanto, debemos averiguar el explosivo que El Sirio vendió al Conejo, ¿tipo plástico?, ¿nitroglicerina, trinitrotolueno? ¿O qué otro? Usted se equivoca cuando afirma que un explosivo se puede usar de mil modos distintos. No es para tanto, su naturaleza condiciona la utilización. Las variantes son muy reducidas.

-Lo que significa que conociendo la carga que lleva la bomba, puesto que otra cosa no se puede hacer con material explosivo, resulta posible inferir su modo de uso.

-Por lo menos podemos reducir las opciones al número de los dedos de una mano. Y si nos enteramos de la cantidad vendida, que probablemente sea la misma a utilizar, las opciones se reducen más todavía.

-Por lo tanto, eso es lo que procuraremos investigar.

-Así es. Eso y todo lo otro que podamos.

-Esto es lo que recuerdo como importante de las entrevistas con mis colegas. Chusak se jugaba por la hipótesis del magnicidio: el arma, un coche bomba. Hay convergencia de opiniones. Hasta el momento parece la más plausible."

Carlos retiró los ojos de la pantalla de su computadora. Le dolía la espalda a la altura de la cintura. Estaba tenso y a punto de dejarse llevar por un sentimiento desalentador. No se lo permitió. Se incorporó, apartó el sillón articulado y dejó la mesa que usaba como escritorio. Llegó al cuarto de baño, encendió la luz y observó el reflejo de su rostro en el espejado cristal del botiquín. Vio ojeras muy marcadas y una hinchazón en la bolsa formada bajo los ojos. "Me veo mal, demacrado. También intranquilo. Debo serenarme", pensó.

Abrió la canilla de agua fría, se lavó la cara y se masajeó las sienes. Suspiró aliviado, tomó una toalla y se secó con suaves golpecitos. Luego se perfumó con loción para después de afeitar, fue a la cocina y preparó un café. "bien cargado", se dijo.

Era evidente que la lectura del *e-mail* lo enervaba. Anticipaba un mal final, el de una vida anulada, terminada a destiempo cuando aún podía dar mucho de sí. La arbitrariedad ciega de la muerte intentando imponerse... Estos pensamientos se combinaban de un modo absurdo, irritándolo. Resistió la tentación de te-

lefonear a Adrián para comunicarle lo que leía y la angustia que la
lectura le deparaba. "Lo haré después, cuando termine de analizar
el contenido del conjunto."

El vendaval y la lluvia golpeaban con fuerza el balcón y las
ventanas de su departamento. El agua comenzó a filtrarse bajo la
persiana de madera. Fue a la cocina, buscó un trapo de piso y un
secador y se entregó a la tarea de escurrir la que penetraba desde
la balaustrada hacia el comedor.

El movimiento de limpieza le produjo una nueva molestia en
la espalda. Sin embargo, como contrapartida lo tranquilizó, lo separó de su congoja y restableció su calma.

Carlos se reprochaba su complicidad en la aventura. Debió
impedirla, y si esto no resultaba, desalentar a Ramiro, desmontar
la lógica de su razonamiento y hacerle entender lo disparatado de
la empresa. Pero..., ¿era esto posible? Ramiro obraba según su naturaleza, *a contracorriente*. El fin trágico, el desastre final era solamente una probabilidad —distante— entre otras, no surgía inexorablemente de la situación. Y sin embargo...

El café torrado molido fino sabía muy agradable, compraría
la misma marca. Necesitaba recordarlo, recientemente tenía la memoria frágil, se olvidaba de tantas cosas...

¿Existía la *Predestinación*? ¿Estaba Ramiro condenado de
antemano por obrar de acuerdo a su carácter, temperamento y personalidad? "La inteligencia tiende a rechazar semejante idea. Toda libertad se vincula al riesgo, al azar y a la fortuna. Pero no habría ni riesgo ni azar ni fortuna si se impone el concepto de *Predestinación*, solamente un determinismo esencial. Lo ineludible de
un destino trágico propio del orden metafísico."

Carlos regresó a la mesa de la computadora, tomó asiento en
el sillón giratorio y continuó la interrumpida lectura del *e-mail*.

"*Cuarto día en Ciudad del Este, 22.00 horas.*

*He llamado al sanatorio y preguntado por Geralsina, se en-
cuentra muy recuperada. Mañana o pasado mañana le dan el alta.
No pude localizar a La Nodriza, ni siquiera dejó un mensaje
para mí y regresa al hotel muy tarde por la noche. Su conducta es
ya demasiado caprichosa. Debo tomar precauciones al respecto.
No sería extraño que intente traicionarme.*

Aproximadamente hacia el mediodía, en el lobby, vi al Emisario reunido con sus compañeros, los tipos tienen un aspecto sumamente curioso, extravagante, quizás. Se nota que uno de ellos es militar, el bigote cortado a lo macho y su porte marcial lo ponen en evidencia. Otro tiene traza de sacristán, de comehostias o de chupacirios, el tercero parece un banquero de caricatura, gordo, pomposo, fuma cigarros constantemente y exhibe la costosa elegancia de sus trajes "Versace". El cuarto es un atildado ejecutivo de gran empresa, porta una barbita candado entrecana, y el quinto tiene la complexión, la rudeza en el trato y la apariencia de un sindicalista en ascenso. El Conejo estaba ausente.

Se despedían. Debieron reunirse con el propósito de llegar a un acuerdo. Sea el que fuese, se nos acorta el tiempo disponible y estoy lleno de dudas. A medida que los acontecimientos se desarrollan se crean nuevas circunstancias imposibles de ponderar y mucho menos de controlar. ¡Atención! El curso de mis pensamientos me dice que anticipo la decisión tomada, ¡la adivino! Asumo la idea del atentado. Lo van a cometer. ¡Cuántos obstáculos habré de vencer para impedirlo!

No tuve cita con nadie hoy y en verdad no supe en qué ocupar el tiempo. Me encontraba empantanado, tal pensamiento me torturó durante el resto del día. Todavía lo hace. ¿Estaré reaccionado adecuadamente? ¿Dónde se habrá metido La Nodriza?

Gasté mi tiempo visitando los shoppings. Escaparates deslumbrantes y excelentes precios. Cataratas de prometida satisfacción para el consumidor compulsivo: Cebos bien adobados en verdad, tentaciones muy difíciles de resistir. Casi todos los paseantes pican. ¿No fueron a eso, a observar, desechar y elegir?, ¿a comparar precios?, a transformarse en clientes? La compra es la actividad vital del capitalismo. Sin ella no hay beneficio y resulta imposible la reproducción del capital. La compra satisface y gratifica. En pequeñas o en grandes dosis es el antidepresivo más terapéutico y eficaz que se haya conocido. Los consumidores son los verdaderos héroes de nuestro tiempo y los mejores teólogos. Se demuestran a sí mismos la existencia de Dios encerrado en el producto adquirido. Los shoppings son catedrales y los anuncios de propaganda sus santos.

Dado que no compré y por lo tanto no consumí, negué mi ser esencial y sentí cierto temor por ello.

Me alejé de las catedrales para internarme en la zona de las pequeñas iglesias. Los negocios tenían allí una innata tendencia al elocuente sentimiento de la transa persa, al tironeo de los precios hacia abajo y hacia arriba, a la habilidad en el juego de mercado. ¡Cuánta mística encierra el afán del precio rebajado!

-¿Qué desea adquirir el señor? -quiso saber el comerciante árabe modulando las palabras con su armoniosa y tenue voz.

-No lo sé... Estoy mirando.

-Mire, mire tranquilo... Busque que encontrará, nuestros precios son los más bajos de la ciudad y la calidad de nuestra mercadería la mejor.

-¡Hay de todo!

-Así debe ser un comercio, una ilimitada gama de productos al alcance del cliente ambicioso y sabio -dijo persuasivo, con una voz de cura o predicador.

-Figuras de porcelana, cigarrillos, whiskys, juegos electrónicos, computadoras, ropa de camping y todos los accesorios correspondientes, tiendas de campaña, sacos de dormir, linternas... Y mucho más.

-Sí, muchísimo más... Tal vez le interese este aparato al que le dedica su atención, es un rotulador.

-¿Esto?

-Sí, sí...

-¿Y aquello, qué es?

-Una pequeña radio a transistores, ¿le agrada?

-No, no...

-¿Y este teléfono? Es chino.

-No gracias, en realidad me intereso por una persona, quizás pueda ayudarme...

-No trabajo con señoritas o con chicos, para eso debe caminar cinco minutos hacia abajo...

-¡Disculpe! No me refiero a esa clase de personas.

-¡¿Ah, no?!

-¡No! Pensé que tal vez..., usted podría ayudarme.

-¿Ayudarlo?

-Sí, indicarme un camino a seguir... Vea, trato de ubicar a alguien que se hace llamar El Sirio -anuncié dejándome llevar por un impulso que no pude reprimir.

-¡¿El Sirio?!

El comerciante palideció, quedó como clavado en el piso, inmóvil.

-Entonces, ¿lo conoce?

Sobrecogido, me observó con desconfianza, evaluándome.

-Sé quién es pero no tengo trato con él, es demasiado importante... Se mueve en círculos en los que el dinero manda..., el gran dinero...

-Quizás podríamos ponernos de acuerdo usted y yo..., si me dice cómo encontrarlo.

-Venga por aquí.

El comerciante me empujó suavemente hacia la trastienda. Bajando el tono de voz, me interrogó.

-¿Es usted policía?

-Periodista -indiqué. Mostré mi credencial de prensa.

-No puede ir por los negocios preguntando por El Sirio, ¿cómo se atreve? Puede terminar asesinado en cualquier callejón.

-¿Tan peligroso es?

-¡Por supuesto!, ¡controla el negocio de los explosivos de alto poder..., y de las armas..., todo al por mayor. No entiendo para qué lo quiere... Yo puedo ofrecerle algunas cosas interesantes. Esta pistola Browning proviene de la policía paraguaya, fue usada en varias muertes, se la dejo por poco dinero... O estas granadas de mano, si necesita algo más poderoso. Por media docena le hago precio. Si compra la pistola y las granadas obtiene un buen descuento, ¿qué le parece?

-Me parece que no, gracias.

Me retiré dejando al árabe asombrado.

¿Estoy obsesionado con Geralsina? Con mayor o menor intensidad su imagen se condensa en mi memoria haciéndose presente en la imaginación; aparece tajante, definida e indiscutible. Entonces un sentimiento fraccionado de nostalgia me aqueja y me lacera. ¿Qué pasiones despierta esta mujer en mí?

Geralsina es una Circe, una Venus veleidosa, creo que Tácito llamaba a la diosa "sanguijuela seductora", porque robaba la sangre de sus amantes, ¿será Geralsina así?

Si Circe, la hechicera, desbarataba la racionalidad de los hombres con su encanto lascivo y transformaba a los marineros de Odiseo en cerdos, Geralsina obnubila, fascina y deslumbra, transforma lo falso en verdadero, alucina.

151

Así me siento a veces, alucinado, amancebado con El Diablo, poseído por un espíritu siniestro, angustiado y lleno de temor a la muerte. ¿Soy objeto de un maleficio?

Con el alma desolada de un forastero desorientado, recorro anhelante esta ciudad a la que nunca me podría adaptar. Circulo entre bloques de cemento sin un plan establecido y a la deriva. Tropiezo con grupos de turistas que descienden de ómnibus y caravans con techos transparentes, que consultan sus guías de compras y sus planos, que toman fotos y comentan entusiasmados los pormenores y los pequeños incidentes que matizan y dan color festivo al viaje emprendido.

Divago... ¿Qué hacer? Me pregunto, ¿adónde ir? Me siento ridículo. Busco el modo de rebasarme a mí mismo, acelerar el tiempo inmóvil y, fluir hacia el futuro, pero no obtengo respuestas y no consigo hacerlo.

Quinto día en Ciudad del Este, 20.15 horas.

No debo hacerme una falsa idea de los sucesos. Me encuentro sometido a una presión muy fuerte y no sé si tengo las energías suficientes para resistirla. No debo exagerar tampoco, necesito concentrarme en lo fundamental y en lo más simple. Comprendo que es siempre difícil distinguir entre lo esencial y lo accesorio, conservar el sustrato de lo imprescindible y desechar lo innecesario. Estamos expuestos, constantemente, a equivocarnos y no obstante debemos tomar decisiones. Así lo haré.

Anoche dormí mal, con sueño interrumpido e inquieto, pleno de malos presagios. Para bien o para mal presiento un pronto desenlace.

Por la mañana, hacia el mediodía, visité a mi colega, el periodista radial, el ajedrecista, el mismo que me informó del romance de Chiquito con el joven chulo chino. Lo encontré en plena actividad irradiando su programa. Aguardé entonces a que concluyera su labor. Me convidaron con café, demasiado liviano para mi gusto, y jugo de naranja.

El cuarto de recepción, donde esperé unos cuarenta minutos, resultó muy agradable. La refrigeración muy bien regulada producía un frescor indulgente y reconfortante. Despejaba las fantasías cerebrales liberando el peso de la opresión precedente y reconstituyendo sus células.

152

Con la percepción renovada remonté en el recuerdo de la trama tejida por los acontecimientos y examiné mi conducta en ella. Me exigí, apliqué el sentido común a la necesaria evaluación de la historia, de sus hechos grandes y pequeños, analizándolos con medido rigor y desentrañando su sentido.

¿Cuáles serán los próximos pasos del Emisario? ¿Qué cobertura utilizará el grupo operativo en su propósito de perpetrar la matanza?

Me di cuenta que para despejar estas incógnitas debía ahondar en la personalidad del personaje. Ciertamente, el hombre no obraba por mero capricho. Sus mejores esfuerzos se articulaban en un patrón de conducta. Muy probablemente, las decisiones importantes las tomaba consultando los pareceres del Conejo. El grupo operativo necesitaba, para obtener éxito, coordinar la acción con máxima precisión. Un atentado de las características del que probablemente planificaban exigía cuidados extremos y una coordinación ejemplar. Mucho y buen apoyo logístico y extraordinaria sangre fría. Precisaba disponer de más datos, detalles y especificaciones capaces de definir los rasgos principales del plan. "Debo consultar con Chusak, conseguir los nuevos resultados de su espionaje electrónico", pensé.

-Me encontró ante el micrófono, lo siento.

-No tiene por qué, es su trabajo. Este cuarto es muy acogedor. Me vino bien la espera. Reflexioné, evalué y despejé incógnitas. En fin, aproveché la circunstancia.

-Me alegro. El tiempo siempre es valioso y, como la existencia, se escurre con demasiada facilidad de nuestras manos.

-Me intriga el carácter del Emisario, lo que pasa por su cabeza. Me pregunto a veces por su estado mental.

-El hombre no está loco, si a eso se refiere... Quizá sea imaginativo en exceso. Extravagante y peligrosa su audacia.

-Sin escrúpulos.

-Ninguno.

-Tengo entendido que los tenía al comienzo de su carrera.

-Fue un luchador. Un valiente. Alguien que se jugó por su gente, los miembros de su sindicato. ¡Cojonudo!

-¿Cómo pudo transformarse en lo que es? Parece mentira...

-Se corrompió. Se comenta que tuvo una adolescencia de mierda. Que un estanciero lo abusaba sexualmente. Fue pervertido y aunque lo intentó, nunca pudo superar del todo ese pasado. La maligna semilla estaba plantada, de modo que cuando obtuvo poder lo negoció con los patrones y los gobiernos de turno. Lo utilizó para enriquecerse. Su inteligencia es de primera calidad, brillante, y está dispuesto a todo. Es casi imposible que no consiga lo que se propone si le interesa verdaderamente.

Es propietario de varias estancias. Dos en Paraguay y tres en la Argentina; una en la provincia de Misiones, otra en la de Entre Ríos y la última en la de Buenos Aires.

Es dueño de cuatro avionetas, una de ellas puede transportar a nueve pasajeros. Posee automóviles deportivos, caballos de polo y dos yates.

-Me han dicho que es un maestro de la organización.

-Y dispone de más recursos tácticos que Kasparov. ¡Lástima que usted no juegue ajedrez! Estuve estudiando una de las partidas entre Anatoli Karpov y Garry Kasparov... –explicó mientras buscaba en uno de los cajones de su escritorio un tablero de ajedrez y una caja con sus respectivas piezas. Me gustaría describírsela... Vea...

-Perdóneme –lo interrumpí–, tengo otra cita, debo irme –añadí.

-¡Me decepciona! Yo le puedo explicar el juego que desarrollaron. No importa su ignorancia acerca del juego. A medida que lo despliego usted aprende... Si presta atención, claro...

-Le prometo estudiarlo y en un próximo viaje usted me da un curso superior de ajedrez, ¿qué le parece?

-Que los periodistas argentinos no son muy creíbles.

Durante mi caminata por las calles de la ciudad tuve la impresión de que me seguían. La tuve cuando bajaba la escalera mecánica del Shopping Center y cuando exploraba los escaparates de La Casa China. La misma sensación se repitió, una y otra vez, en mi recorrido por la avenida San Ecán. Discretamente observé a mi alrededor buscando un candidato a sospechoso, sin detectarlo entre las gentes que iban y venían.

No conseguí apartar la idea del perseguidor empeñoso yendo tras mis pasos con intransferible persistencia y por todas partes, incapaz de alejarse de mí, acechándome constantemente.

En apariencia, la situación encerraba una confusa indeterminación, ¿contenía un fuerte componente de engaño? Circulaba

154

por las calles vigilando hacia adelante y hacia atrás, hacia un la-
do y hacia otro, buscando pruebas de lo inexistente, ¿estaría per-
diendo la cabeza?

La intuición del acecho, de alguien vigilando mis movimien-
tos, me resultaba muy inquietante. Se concentraba en un punto de
mi mente tomando el aspecto de una siniestra presunción, se ma-
terializaba en la expresión física de un sentimiento de angustia;
un dolor en las entrañas intenso y difuso, una creciente ansiedad.

Llegué a una de las cantinas del puerto, el local estaba reple-
to de gente. Haciéndome paso como pude llegué hasta la barra y
pedí una cerveza.

-Solamente tenemos Brahma -afirmó el cantinero.

-Está bien, tráigame una botella pequeña, -le ordené.

El ambiente estaba muy animado a pesar de la hora: las
11.30 de la mañana.

Por un instante, sólo por un instante, vi reflejado en el es-
pejo del bar el rostro, muy bello, de un cura joven. Volteé para
verlo directamente y no había nadie allí. ¿Estaré alucinado?, me
pregunté.

Más tarde almorcé en el hotel; un lenguado "grillé" con pa-
pas hervidas y media botella de "chablis" excesivamente enfriado.
Mi paladar, que no es muy exigente, quedó satisfecho. Necesitaba
un estímulo sensorial reparador.

La Nodriza no estaba en el hotel, ¿continuaría con sus mis-
teriosas indagaciones?

El fuerte impulso de encontrarme con Geralsina se apoderó de
mí. Un poderoso deseo físico soterrado se abrió camino en mi inte-
rior, moldeando una exigencia compulsiva que debía satisfacer.

Llamé por teléfono al sanatorio y pregunté por ella. Acaba-
ba de retirarse. ¿Regresaría al hotel?

Le dejé un mensaje a La Nodriza en la conserjería, pidiéndo-
le que me buscara, que no dejara de hacerlo porque tenía impor-
tantes novedades.

Después subí a mi cuarto. Me desvestí, me eché sobre la ca-
ma y quedé profundamente dormido.

Me vi transitando oscuridades y sombras, caminando el an-
gosto sendero de un valle encajado entre escarpadas montañas
bajo un cielo trabajado por nubes grises. Nevaba, suave y persis-
tentemente. Sentí frío y cierto estremecimiento a pesar del calor

generado por las energías gastadas en la marcha. El paraje solitario me agobiaba en su inmensidad, ¿anochecía?, ¿me dirigía hacia una posada? Sentí fatiga y hambre. A mi derecha, un bosque. Algo sucedía en su interior. Miré atentamente, los árboles se movían cobrando vida. No, eran puntos negros que, saliendo de la frondosidad, se desplazaban aproximándose velozmente. A medida que lo hacían, el tamaño de los puntos crecía. Primero se hicieron grandes, enormes después. Me inquietó y comencé a sudar a pesar del frío. Estaba en peligro, lo supe de inmediato. La jauría de lobos se me echaba encima.

Acongojado, me desperté. Tenía el cuerpo transpirado pese a que el aire acondicionado enfriaba la habitación. Consulté mi reloj: las 18.25 horas. Revisé la mesa de luz y en el compartimiento del calzado encontré mis zapatillas y el revólver en su interior. Tomé el arma y la sopesé, esto me tranquilizó. Después la coloqué en el mismo lugar. Fui al cuarto de baño. Bebí un vaso de agua de la canilla del lavatorio, me lavé los dientes y me duché.

Me vestí con mis pantalones vaqueros de lino blanco y mi remera azul. Calcé los mocasines marrones y descendí al lobby.

Cuando me dirigí hacia el bar observé al Emisario saliendo del hotel. Sentí aprehensión.

Ocupé una mesa próxima a la barra. El camarero no tardó en atenderme, le pedí un café doble cargado que bebí acompañado de una aspirina. Un sentimiento de irritación, más bien de ligera rabia, se apoderó de mí. Me perturbó descubrir que tal enfado se dirigía a mí mismo. "¿Cuántos pasos en falso he dado?", me pregunté. Tal vez demasiados. Realicé un esfuerzo para aceptarme como soy, aun cuando no me guste lo que sea.

Durante varios minutos me entretuve observando por televisión una novela brasilera, un dramón sensacionalista en el que unas mellizas mulatas seducían al mismo hombre.

Luego regresé al lobby y comencé una conversación con el conserje. Intenté inútilmente sonsacarle alguna información sobre El Emisario y El Conejo. Me encontraba dialogando con el muchacho cuando La Nodriza me llamó.

Lo encontré pálido y nervioso, con cara de espectro.

Buscamos el bar y nos sentamos en los amplios sillones ubicados frente a uno de los televisores. Hablamos. Me hizo escuchar la grabación que Chusak había dejado en su teléfono celular, sus dichos confirmaban la sospecha sobre la modalidad operativa del magnicidio. Enseguida me mostró en el diario la noticia de su defunción, la de Chusak. Con toda seguridad, un asesinato. La Nodriza no lograba mantener la calma. Se lo veía muy excitado. Convinimos darnos dos días para investigar y conseguir más y mejor información acerca del grupo operativo. Ése era el último plazo, el plazo final.

Lo invité beber un whisky con la intención de activar su aparato circulatorio.

-Cuando era un niño mi padre me pegaba, se emborrachaba y me castigaba sin ningún motivo, salvo el de su ebriedad. También golpeaba a mi madre, era un hombre tiránico y sumamente agresivo. Sentía vergüenza de ser su hijo, de llevar su apellido. Un día nos abandonó a mi madre y a mí. Al principio me puse contento, la certeza de que ya no sería castigado me dio mucha alegría. Después de unos meses comencé a extrañarlo. Nunca más lo vi ni tuve noticias de él. Ya debe haber muerto. Todavía lo echo de menos -confesó La Nodriza.

¿Por qué lo hizo? ¿Qué motivos lo impulsaron a relatarme esa historia íntima? ¿Se aflojaban sus defensas? ¿Colapsaba su psiquis?

Entró en pánico en el instante en que mencioné al Conejo, un miedo súbito e intenso lo trastornó. Sus temores se acrecentaron cuando metí al Sirio en la historia.

Llama el teléfono, lo atenderé...

¡Geralsina me invitó a su habitación!

GERALSINA

Cargada de noche
bellísima
perdida
me aniquilaste de amor
un día en la mañana.

50

Adrián se sobresaltó. Sentado frente al televisor, fumaba su pipa de espuma de mar, escuchó a la locutora relatar la noticia de un homicidio cometido en un poblado casi desconocido: *Barranca del Burro*, muy próximo a la ciudad de Resistencia, provincia del Chaco. Se trataba del asesinato de un hombre maduro de profesión periodista; se anunciaba la identificación del cadáver pero no se daba el nombre del occiso. Lo más extraño es que se hacía responsable de su muerte a un cura joven, quien había cometido el crimen acompañado por dos hombres. Los sicarios se habían esfumado de la misma forma misteriosa en la que aparecieron.

Conmocionado, llamó al teléfono celular de Carlos y le comunicó la noticia.

-¡Que barbaridad! -se asombró Carlos.

-Comunicate con *El Diario*, preguntá si saben algo.

-Sí, eso haré..., Ramiro me envió un *mail*...

-¿Un *mail*?... ¿Cuándo?...

-Ayer, a las 22.45...

-Pudo mandarlo antes de morir.

-La noticia más importante es que La Nodriza fue asesinada.

-¡No me digas!

-Envió un *attach*, redactado como diario íntimo... ¡Cuenta cada cosa!

-Mandámelo, quiero leerlo.

-Te lo reenvío.

-Carlos, es conveniente que te mudes a mi casa.

-¿Por qué?...

-¡¿Cómo por qué?! La Nodriza fue asesinada, Ramiro probablemente también, vos estuviste muy cerca de ellos... Podés correr peligro de muerte.

-¿Te parece?

-No se juega con la vida, venite para aquí. Te instalás conmigo por un tiempo. Prepará tus cosas y no te demores.

-Está bien.

-Te espero.

Implacable, la tormenta se cernía sobre la ciudad de Rosario. Su clamor, expresado en el estallido de los truenos, el rugir del viento y el chasquido de la lluvia, penetraba a través de la puerta balcón en el departamento de Adrián, quien mirando al río veía la agitación de las aguas revueltas por el oleaje. Un lanchón, desnudo e indefenso como una fascinante y delicada criatura de mar, aparecía y desaparecía por encima de la línea del horizonte que se confundía con el de las islas vecinas.

Tuvo la sensación de que flotaba en las aguas a la deriva. Perplejo, observó su imagen en el gran espejo de la sala y se remontó con el pensamiento a tiempos antiguos en los que navegaba a bordo de una carabela portuguesa repleta de esclavos negros.

En la cubierta, sentada sobre un tonel, una mulata de imponderable belleza fumaba su pipa de barro, observándolo, vigilándolo, penetrando en sus pensamientos. Esforzándose en el intento de cambiar su destino.

Lo escrutaba a través del espejo azogado, haciéndole notar su presencia.

El carrillón del reloj de bronce que adornaba el *dressoir* campanilló las cuatro de la tarde. El sonido lo regresó de su ensueño. Se asustó un poco por lo ocurrido —o lo que creía que había ocurrido— y se acomodó en su sillón preferido. La pipa de barro, la misma que fumaba a bordo de la *nao* la beldad de tez café con leche, relucía sobre la mesa ratona. Era la pipa ritual que Carlos le había regalado. La pipa utilizada por los *curandeiros*.

Imaginó la selva densa de árboles tropicales y la rivera de un río desconocido, a Geralsina recogiendo hierbas y granos, seleccionándolos, depositando los elegidos dentro de un mortero de piedra, moliéndolos con el propósito de preparar la pasta para mezclar con hebras de tabaco. Vislumbró a la mujer cargando su *cachimbo*, encendiendo la preparación, aspirando el humo, absorbiéndolo para desdoblarse lentamente con parsimonia ritual.

Ahora, el espíritu de Geralsina penetra en el hogar de los muertos, vuela más allá de las profundidades de la tierra, presiente la presencia de *Xangó*, el dios ausente: "he llegado a ti para interrogarte", dice, "quiero conocer tu última respuesta a la primera pregunta: ¿por qué El Mal existe?"

No hay respuesta, el dios calla, pero Geralsina la intuye: "El Mal existe porque el mundo de los hombres replica el mundo de los dioses". Geralsina comprende entonces el sentido de la palabra absurdo y de la recalcitrante trascendencia del Mal.

Adrián se inclina y recoge la pipa de barro de la mesa ratona, la llena de tabaco y la enciende. Después regresa a la ventana para contemplar la tempestad.

51

Como el viento huracanado de la tormenta, el vendaval que entre cronistas, periodistas y corresponsales desató la noticia de la muerte de Ramiro, llegó a las oficinas del *Diario*. Había revuelo y agitación. También estupor y desconcierto. Circulaban rumores diferentes y contradictorios. Su asesinato se atribuía a los narcotraficantes, a piratas del asfalto, a contrabandistas de armas y hasta una agrupación de sacerdotes pederastas aparecía implicada. De ninguna manera se la asociaba a la coyuntura política argentina. Cierto es que todavía no se conocían los detalles del drama. La policía solamente había confirmado la identidad del occiso.

La televisión de la localidad donde ocurrió la tragedia entró en contacto con la red nacional. Sus periodistas entrevistaron a autoridades policiales y a testigos presenciales. Los tres parroquianos y las dos mujeres, la camarera y la encargada del bar coincidieron en lo sorpresivo, desconcertante y extraño de la tragedia. La existencia de un cura pistolero resultaba sumamente rara, los otros dos hombres que lo acompañaban parecían fantasmas. Los tres surgieron de la tempestad, asesinaron y se diluyeron en ella. Todo aconteció con la velocidad del rayo. Lo único que pudieron retener es la figura del joven cura, descargando el fuego de una enorme pistola contra el hombre maduro que había llegado al bar con cara de espanto, como si lo persiguiera la muerte.

No mucho más que esto se conocía en *El Diario*. Carlos estaba tan conmocionado como los periodistas, quizás más, dada la amistad compartida con Ramiro. Conversó con varios de ellos sin decir nada de lo que sabía. Solicitó al Jefe de Redacción –superior inmediato de Ramiro– que lo recibiera, pero el hombre demoraba en hacerlo. Le hizo saber que tenía información importante sobre el tema; sin embargo, hacía más de cuarenta y cinco minutos que aguardaba.

La puerta de la oficina se abrió y el mismo Jefe de Redacción le dijo:

-Adelante.

Sin decir palabra, Carlos ingresó al recinto.

-Disculpe, esta situación nos ha puesto nerviosos a todos. Me vi obligado a realizar varios llamados: a las autoridades chaqueñas, a las de la localidad donde sobrevino la tragedia y a otras reparticiones del gobierno de nuestra provincia y de la nación.

-Comprendo, comprendo...

-¿Dice usted que está al tanto de cierta información..., delicada?

-Sé lo que Ramiro hacía en la Triple Frontera y entiendo que usted también lo sabe.

-Sí, algo sé... Por ejemplo, que usted era confidente de Ramiro y que, según él me contó, formaba parte de su equipo en este asunto..., tan delicado.

-¿Por las posibles derivaciones políticas?

-En efecto, por ellas y porque la gente que está metida en esto es sumamente pesada.

-Y..., ¿el gobierno nacional está al tanto de todo esto?

-Tengo esa impresión..., pero no lo dejan saber claramente.

-¿*El Diario* publicará la historia de la intriga?, ¿denunciará el *complot*?

-¿Es realmente un *complot*?

-¡Por supuesto!

-No tenemos pruebas suficientes de ello.

-Pero..., ¿darán a conocer lo que saben?

-Aún no tomamos resolución al respecto.

-Tengo esto para usted... -anunció Carlos entregándole un *diskette*.

-¿De qué se trata?

-Es la grabación de un *e-mail* que Ramiro me envió, sus últimas noticias. Una suerte de diario íntimo en el que consigna sus impresiones de la aventura. De este modo denomina Ramiro a los acontecimientos por él vividos en la Triple Frontera.

-¡Muy interesante!

-Estoy preocupado por mi seguridad. Usted mismo me dice que hay gente muy brava metida en esto.

-Sí, claro, es muy comprensible... Debe tomar precauciones.

-Creo que solicitaré custodia policial. ¿Sabe usted a quién puedo recurrir para que mi pedido sea considerado?

-Le daré un nombre..., -dijo el Jefe de Redacción, mientras buscaba la billetera en un bolsillo de la camisa. Extrajo de ella una tarjeta impresa y escribió algo al dorso.

-Tenga.

-Gracias.

Carlos leyó en el membrete el nombre y apellido de un abogado y la leyenda del dorso.

-Es alguien muy conectado, lo de Ramiro fue tremendo pero..., tengo la impresión que todo termina acá.

-¿Cómo puede afirmar eso? Esa gente no se detiene ante nada..., lo han demostrado..., han asesinado a dos agentes de la SIDE.

-¡¿Lo han hecho?!

-Ramiro lo cuenta en su diario.

-¡Carajo! Este *complot* tiene mucho de delirio. El Caudillo va a hacer pública su decisión de no presentarse a elecciones. La inmensa mayoría de su partido está, por mediación del Presidente, con El Oponente. Si va a la segunda vuelta perderá como en la guerra.

-Eso parece... El Presidente afirmó que será derrotado por *knockout* o por abandono.

-El Oponente fue recibido por los presidentes de los países vecinos mientras El Caudillo se muere de rabia porque todo el mundo lo evade.

-Sin embargo, ¿quién puede tener certeza? Los argentinos somos tan extraños, puede suceder cualquier cosa.

-Es muy raro... La década del noventa terminó y con ella la alianza entre los muy pobres y los muy ricos que arrastró a la mayoría de los sectores de la clase media. Los votantes de la izquierda apoyarán mayoritariamente al Oponente. Por el contrario, los sectores sociales más pobres e indigentes le darán su voto al Caudillo, quien según las últimas encuestas sufrirá un revés hasta en su provincia natal. A nivel nacional será una catástrofe, fracasará en casi todos los distritos. Hasta en los que ganó en la primera vuelta. No tiene posibilidad ninguna, renunciará.

-En esta suposición se fundamenta, precisamente, la conspiración. El Caudillo no tiene contrincante si El Oponente es eliminado.

-¡Una locura! El país terminará en la guerra civil.

-A estos tipos eso no les interesa. Si sus propósitos tienen éxito o se desarrollan sin inconvenientes mayores van a convencer a la opinión pública de que el asesinato fue responsabilidad de los terroristas internacionales o de los norteamericanos.

-¡Otro disparate!

-De acuerdo, pero ellos no ven la situación de esa manera.

-Yo no sé, pero en ocasiones presiento que la guerra civil se nos vendrá encima, como esta tormenta que no termina. ¡Hay tanta pobreza en el país, tanto hambre! La deuda externa es impagable y sin embargo, los acreedores no aceptarán que se les rebaje un céntimo. Es imposible continuar con la política del ajuste indiscriminado y eterno que nos llevó al abismo y, a pesar de eso, el FMI insiste con sus recetas recesivas..., la gente va a explotar...

-Para colmo la banca vació al país. Salimos de la convertibilidad de la peor manera, la pesificación agregó más confusión y angustia al desastre generalizado.

-No entiendo cómo hará El Oponente para resolver tantos problemas. Posiblemente a él también se lo devore el monstruo creado por las circunstancias.

-Para intentar resolver tanto conflicto tiene primero que gobernar y esto es lo que los conspiradores no quieren.

-Lo acepto. Esos tipos son demasiados peligrosos y sanguinarios.

-¿Se sabe algo de ellos, de los asesinos de Ramiro?

-El hecho es todavía muy reciente. Hay que esperar.

-Resulta difícil.

-Para mí también... No obstante...

-No tenemos otra alternativa -interrumpió Carlos.

-Exacto.

-Esperaremos entonces. Gracias por recibirme.

-Ramiro me dio su teléfono. Nos mantendremos en contacto.

-Muy bien. Consultaré con el abogado... Decidiré cómo moverme.

-Es un hombre de confianza y extremadamente discreto.

-Hasta pronto.

-Nos vemos.

Los dos hombres se estrecharon las manos. Después Carlos dejó la oficina. Los periodistas continuaban alborotados. "La muerte de Ramiro les cayó como una bomba", pensó Carlos. No era para menos. Todas las muertes parecen absurdas, sin sentido alguno y sin embargo, resultan muy naturales, son parte constitutiva de la vida, una mera cuestión biológica que los seres humanos no conseguimos aceptar. Quizás porque creemos insuficiente nuestra condición humana, nuestra pedestre animalidad. Tal vez nos asumimos, de un modo no consciente, como seres sobrenaturales; como ángeles o como demonios y por eso no nos resignamos a morir.

52

Adrián colocó un trozo de *pecetto* en el horno de la cocina. Acompañó la carne con batata, papas, zanahoria, cebolla de verdeo y pimiento rojo. Una comida consistente y sabrosa.

Carlos llegaría en cualquier momento. Se hospedaría en su casa hasta que el panorama se tornara más claro, se trataba de una medida de precaución mínima ciertamente indispensable. Habría que implementar otras, ya verían cuáles.

Los sucesos tenían mucho de fantásticos: a la irrupción de lo sobrenatural en la vida cotidiana se le sumaba la intriga, la violencia y la desmesura. La existencia diaria de los argentinos transcurría de esa manera. Un vistazo a los diarios y a las noticias televisivas lo ponía en evidencia, "vivimos en un mundo peligroso y alucinante, sin certezas y a la deriva. Somos como los personajes de una novela que no se acaba de escribir y está bien que así sea, aunque ignoremos los modos de sobrellevar la humillación, la vergüenza y la pena, y la alegría y el placer nos sean esquivos", meditó.

La tormenta descargaba su intensidad sin piedad alguna, ¿es que no terminará nunca?

Dejó la cocina y en la sala de estar buscó y preparó el ajedrez de figuras medievales de marfil y de ébano heredado de su madre que una vez pensó en vender. Afortunadamente no lo hizo, era uno de los pocos recuerdos que de ella le quedaban.

Le propondría a Carlos entablar una partida. De ese modo, concentrándose en el juego, olvidarían al menos por algunos momentos la inquietud y el desasosiego que tanto los perturbaba.

Enseguida se dispuso a preparar la mesa. Pondría el servicio de porcelana de *Limoges*, "una pizca de suntuosidad siempre reconforta". Animado por tal pensamiento decidió utilizar el mantel y las servilletas de hilo blanco, las copas de cristal de *Bacarat* y los cubiertos *Christofle*. "Haremos de la comida una pequeña ceremonia." ¿Lo guiaba el capricho de construir un refugio en plena tempestad? Era importante defenderse, saber hacerlo, poseer el *know-how* y la competencia necesarios para trampearse a uno mismo y quitarse de encima la presencia de la opresión y de la crueldad del mundo. Aun con la plena conciencia de que se trataba de un intento fugaz, efímero e ilusorio. Es cierto que para un entendimiento pretendidamente lúcido, la ostentación no era otra cosa que vulgaridad idolatrada, pero..., ¿se trataba de verdadero lujo en este caso? No lo creía; solamente sería el arte decorativo menor, un poco banal e ingenuo, que los distraería aliviando el dolor de la angustia incrustada en las entrañas.

El portero eléctrico sonó. Era Carlos. Adrián pulsó el botón que destrabó la puerta de acceso al edificio.

Carlos llegó con una valija y un bolso de mano.

–Aquí me tenés –dijo–. Dejé el automóvil en la cochera, el portero me lo permitió.

–Hiciste muy bien. A veces me pregunto para qué la quiero si nunca la uso. ¿Ves? Ahora tiene sentido lo que antes no lo tenía.

–Toda una reflexión filosófica.

–Pasá, pasá ¡Qué tormenta espantosa!...

–Sí, parece El Diluvio.

–Ubicate en el dormitorio que más te guste. Hay espacio de sobra.

–Eso es lo bueno de este departamento tan lindo. ¡Es tan grande!

Así diciendo, Carlos dejó que Adrián cargara el bolso y lo siguió.

–¿Te decidiste?, ¿cuál pieza ocuparás?

–Sabés que me gusta el dormitorio inglés.

A él pasaron y Adrián dejó el bolso sobre la cama.

–¿Querés tomar algo antes de comer?

-Un *Gancia* batido con limón.

-Te acompaño. Acomodate mientras lo preparo.

Carlos se sentía a sus anchas. Convivieron con Adrián en varias ocasiones, tanto en casa de uno como de otro. Hablarían de esto y de aquello, exorcizando los propios fantasmas, oponiendo una entrañable amistad al absurdo del mundo.

Los amigos se reunieron en el *living*. Sentados en cómodos sillones de cuero bebían el aperitivo, uno escuchaba al otro.

-¡Qué mesa tan elegante! -exclamó Carlos.

-Necesitamos algo de fantasía, nos hará mucho bien. Es una buena terapia para el desaliento y la postración del ánimo.

-Sé lo que hiciste de comer.

-¿Cómo lo sabés?

-Muy fácil. Conocés mis gustos y me querés agradar. Además, al pasar la puerta de la cocina se huele un aroma delicioso e inconfundible de carne al horno.

-Exacto. Es lo que comeremos.

-Si la conspiración falla y El Oponente gana habrá gente con mucho poder que saldrá lastimada. No aceptarán una quita importante de la deuda externa.

-¿Cuánto debemos los argentinos?

-Mis colegas de la facultad, los economistas digo, calculan unos ciento cincuenta y cinco mil millones de dólares.

-¡Una barbaridad!

-Entre veinte y veinticinco mil millones de dólares corresponden a la deuda privada que se estatizó.

-¡Increíble! Los pobres les pagan la deuda a los ricos.

-A los muy ricos, a los exacerbadamente ricos... Según mis colegas, aproximadamente unos doce mil millones de dólares son, de una u otra forma, fraudulentos.

-Y la mayoría de esos fondos, ¿dónde fueron a parar?

-¡Quién lo sabe!

-Pensar en esas cosas me deprime. Para que la democracia funcione en este país hay que cambiar muchas cosas.

-Para empezar, las listas sábanas... Mientras estas persistan, todos los que se deben ir se quedarán.

-Los políticos no escuchan a la gente.

-En *El Diario* están desesperados por la muerte de Ramiro.

-No es para menos.

-No hay rastros de los asesinos.

-El temporal los favorece. Es imposible rastrearlos con estas condiciones meteorológicas. Si son hábiles no los capturarán.

-Y estarán disponibles para cometer el magnicidio.

-Ya son las nueve, veamos las noticias.

Adrián se incorporó y prendió el televisor. Hizo *zapping*, los locutores pasaban el parte de los estragos ocasionados por tornados, el viento huracanado, las inundaciones en el norte y el centro del país.

El desborde de los ríos diezmó poblaciones enteras, animales atropellados en las rutas, choques, derrumbes de casas de construcción precaria, cortes de luz, accidentes de todo tipo, postes de teléfono bloqueando las carreteras, árboles caídos obstruyendo calles y destrozando automóviles. Sobre un fondo rojo, la noticia sensacionalista deslumbró en la pantalla:

NOTICIA DE ÚLTIMO MOMENTO
TERRIBLE EXPLOSIÓN EN LA RUTA 11
Un choque frontal entre una camioneta 4x4 y un camión tanque desencadenó una poderosa explosión que afectó a otros dos vehículos: un automóvil Renault y un ómnibus de pasajeros. Hay varios muertos.

La nota continuaba con la entrevista a un bombero, quien ubicó a la explosión a las 6.30 de la tarde; la honda expansiva había destruido el pavimento de la carretera en un radio de trece metros. Entre los restos de la camioneta se encontraron elementos de un material fácilmente detonable, tal vez se tratara de trinitrotolueno. Dato que llamaba poderosamente la atención, puesto que resultaba incomprensible que ese material se transportara en dicho vehículo. De sus ocupantes sólo se encontraron restos de materia encefálica, alguna oreja, uno que otro pie y un par de manos. Todo lo demás aparecía como una masa sanguinolenta. Lo mismo sucedió, informó un policía chaqueño, con los restos del conductor del camión. Algo más enteros se encontraron los cuerpos del chofer del ómnibus y de los trece pasajeros transportados por éste. También se hallaron los cuerpos sin vida de las tres personas que viajaban en el *Renault*.

Los dos amigos se miraron asombrados. Inmediatamente comprendieron que se trataba de los asesinos de Ramiro. La voluntad del Destino, voluble y caprichosa, se había expresado con determinación y de un modo inexorable.

–Increíble, ¿verdad?

–Esto altera el panorama...

–De un modo definitivo. Pone fin a nuestras inquietudes y miedos.

–Y al intento de magnicidio.

–¿Cómo se construye la Historia? Hay tantos imponderables...

–Y tantos intereses en juego... ¿Estaremos ante un accidente?

–¿Qué otra cosa pudo ocurrir?

–Un contra atentado...

–¡No lo creo!

–¿Te parece mucho refinamiento? ¿Demasiada sutileza? ¿Una capacidad florentina para la intriga y la conspiración?

–Sí, es hilar demasiado fino.

–La interpretación del hecho como accidente me llena de dudas. Lo sucedido fue algo verdaderamente extraordinario. ¡La proclamación de la Tragedia! Repasemos la aventura: los personajes entran en una dinámica que se les escapa y no logran controlar, los acontecimientos los arrastran hacia el desastre final que ninguno de ellos consigue impedir. El drama describe un círculo perfecto, como si los sucesos se hubieran inscripto en un orden metafísico.

–¿Qué querés decir?, ¿que no hubo intervención del azar?

–Precisamente..., tiene que haber una inteligencia ordenadora de la trama.

–No creés en la existencia de una razón sobrenatural entonces...

–Por descarte, hay una inteligencia humana detrás del drama.

–¡De la Tragedia!

–No lo creo, ¿qué es el azar sino la actuación de causas y circunstancias desconocidas que convergen entre sí para producir un efecto al que llamamos Destino? En este caso, el de los personajes del drama.

–Y yo..., ¿no soy también uno de ellos? –preguntó inquieto Carlos.

–En parte personaje y en parte espectador. No hay tragedia ni drama sin espectadores.

-¿Esto quiere decir que yo también entro en el círculo trágico?

-Como espectador, sobre todo, es el lugar que te ha sido reservado.

-¿Reservado?, ¿por quién?

-Por la tragedia...

Adrián se incorporó.

-Escuchá...

-No oigo nada...

-Precisamente, el vendaval paró.

-Es cierto.

Adrián alcanzó el balcón se asomó y observó.

-Terminó la tormenta... ¡Vamos a comer!

53

En esta ocasión Geralsina tardó diez días en recuperarse. El mal, enconado e hiriente, la había postrado de manera convulsa en su lecho de enferma.

La enfermedad sagrada, un rasgo distintivo muy difundido entre hechiceros y brujas, la había agotado. Quienes de entre ellos la portaban merecían una muy alta consideración entre los candomblés. La afección los dignificaba confiriéndoles poderes extraordinarios. Para ellos, las convulsiones eran efecto del contacto (y eventualmente de la posesión) con los seres sobrenaturales que habitaban el más allá. Y el desvanecimiento, una muerte provisoria. El espíritu del "sin vida" sobrevolaba el orden natural, visitaba el mundo de los muertos para regresar, más tarde, enriquecido con nuevos conocimientos, acrecentando su sabiduría. Geralsina había retornado maltrecha de su último viaje.

Si la muerte de Ramiro por ella presentida, "el hombre la llevaba marcada en el rostro", la había desestabilizado sumergiéndola en sus profundidades interiores y en un mar de acrecentada angustia, la del Emisario, su mentor y compañero de tropelías, la había devastado. ¿Lo había perdido todo? ¡No! Ella era Geralsina, la Mae Senhora, la bruja de la Triple Frontera, y el Destino se le sometía. Lo acontecido había sido una infidelidad del Destino, solía ocurrir a veces. Sólo un momento descontrolado en el orden que ella imponía.

Ahora Geralsina transita el sendero que bordea el río, espléndida en su belleza africana. Decide caminar entre las piedras y sentarse sobre una roca saliente. Mete los pies en el agua, la corta pollera se alza y deja ver sus muslos hechos para desatar pasiones desaforadas. La brisa se desliza entre sus piernas desnudas acariciando su sexo, su cuello, sus brazos y su cara.

Se lleva el *cachimbo* de barro a los labios y enciende el resto de la preparación conservada en la cazoleta.

Aspira el humo con arrogancia y rigurosamente. Gradualmente, la visión adquiere forma, la de un mito. Observa a La Muerte ascender de los infiernos para penetrar en el mundo de los hombres e incursionar en un poblado. Allí comienza una matanza indiscriminada. Abate con su poderoso bastón a quien encuentra a su paso. Busca entre las chozas y extermina con furor.

Solamente una mujer puede escaparse de la carnicería, ocultándose en una piel de macho cabrío; imposible distinguir su rostro: se encuentra cubierto de sangre. Llega hasta el pueblo vecino y cuenta lo que vio.

"¡Ahora vendrá por nosotros!", exclaman despavoridos sus habitantes. "Es cierto, lo hará, pero no teman... Podemos ahuyentarla -dice la mujer.

"¡Eso es imposible!"

"Yo sé cómo hacerlo". La mujer se cubre con la piel del macho cabrío y desaparece.

"¿Dónde se metió?, ¡no se la puede ver!", grita la gente.

Al dejar caer la piel del animal, la mujer reaparece.

"¡Aquí está!, ¡aquí está!"...

"Tampoco La Muerte me pudo ver. La Muerte tiene miedo de morir. Cuando venga nos metemos dentro de estas pieles, seremos invisibles. Les enseñaré el grito del Infierno, La Muerte se asustará, entrará en pánico y se alejará."

"¡Muy bien!", acepta la gente.

La Muerte llegó al poblado y lo encontró desierto. Probablemente, los pobladores, noticiados de su próxima presencia, lo abandonaron. La Muerte se desconcertó, deambuló de acá para allá, irritada porque no encontraba sobre quién descargar sus bastonazos. De pronto se escuchó un alarido atravesando la tierra: "¡Omá!... ¡Omá!... ¡Omá!". Se aterrorizó; espantada, dejó caer su bastón y huyó.

Los pobladores se quitaron la piel de macho cabrío haciéndose visibles nuevamente.

Geralsina se vio recogiendo el omnipotente bastón de La Muerte. Ella, la mujer del rostro ensangrentado, la que enseñó a ahuyentar La Muerte, poseía ahora su bastón y con él, toda la fuerza de la destrucción.

Esta fue la visión de Geralsina, la que reconstruyó su autoestima. Geralsina continuó con sus deberes de Mae Senhora, interrogando a los muertos, exorcizando demonios, elaborando filtros de amor y prediciendo el porvenir. Altos funcionarios y políticos de los países de la Triple Frontera demandaban sus servicios adivinatorios y sexuales por los que cobraba mucho dinero. Su nombre se hizo más famoso y más sofisticada su crueldad.

54

Carlos sobrepasó el Monumento a la Bandera, una mole fálica penetrando en el cielo. Caminaba lentamente, gozando del aire cristalino y leve. Tenía la sensación de disolverse en él, una vívida impresión de ligereza física, de prontitud de movimientos y de discontinuidad en el paso. Su cuerpo apenas le pesaba, atravesaba el espacio con rapidez, como volando.

Caminaba hacia el departamento de Adrián. Se comprometió a jugar con su amigo algunas partidas de ajedrez. La poca gravedad de su cuerpo reflejaba su alivio moral. Un sentimiento dominante en él desde que dejó de sentirse perseguido. También los argentinos sentían de un modo parecido. Había alivio en la sociedad, una nueva esperanza. Los filósofos existencialistas afirman que la esperanza nace de la previa desesperación y los argentinos estuvimos demasiado tiempo desesperados. Sometidos a escarnios y vejaciones, profundamente humillados.

Finalmente, El Caudillo no se presentó a la segunda vuelta electoral y así El Oponente se convirtió en el nuevo Presidente de la Nación. Supo recoger el reclamo del pueblo y darle la forma de una nueva esperanza. Las expectativas eran muchas y muy difíciles de satisfacer, pero la pesadilla había terminado, al menos por el momento, y se vislumbraba un nuevo despertar.

¿Cómo no dejarse llevar por el entusiasmo colectivo?

Le hubiera complacido a Carlos que Ramiro fuera también partícipe del contento de la mayoría de los argentinos. Su destino fue otro y *a contracorriente*. Su negación tenía mucho de pedagógica, de afirmación en la protesta para corregir así el curso de acciones equivocadas y de decisiones arbitrariamente tomadas. Había conseguido su último propósito. Desbaratar la conspiración. De un modo oblicuo, es cierto, su acción contribuyó a evitar el magnicidio, por lo menos su probable instrumentación.

Carlos recordó esas vicisitudes, historia ya transcurrida en el perpetuo devenir. Quizás las narrara en un libro. Recordó a La Nodriza, siniestro, viejo y sensual. La descripción que Ramiro hizo del Emisario, un alma corrompida capaz de traicionar los principios defendidos con su vida al comienzo de su carrera de gremialista. La voluptuosidad estética de Chusak, el cinismo atávico del Conejo y las entrañas asesinas de Chiquito. Recordó la gracia, femineidad y hermosura de Mae Pequenha y la abisal belleza de Geralsina, ese ángel de la ponzoña que devoraba el corazón de los hombres, su hipnótico esplendor.

Súbitamente, perdió la ligereza de espíritu. Su tranquila calma fue sustituida por una intensa desazón. Los ojos de Geralsina refulgente y en llamas se fijaban en él, se apoderaban de su imaginación, lo hechizaban y entonces supo que estaba condenado, que necesitaba conocerla y que mañana mismo partiría hacia la Triple Frontera en un viaje sin fin.

ÍNDICE

Se terminó de imprimir en junio de 2005
en los talleres gráficos de Edigraf S.A.,
Delgado 834, Buenos Aires, Argentina.